COLECCIÓN 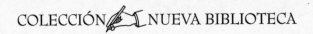 NUEVA BIBLIOTECA

HIPNOS

Javier Azpeitia

Hipnos

EDICIONES LENGUA DE TRAPO

Diseño de colección: *J. González* y *J. Huerta*

© 1996, Javier Azpeitia

© EDICIONES LENGUA DE TRAPO, S. L.

Marqués de Monteagudo, 29. 28028 MADRID

Reservados todos los derechos

ISBN: 84-89618-02-X

Depósito Legal: M-2811-1996

Imprime: Gráficas Rama, S. A. Madrid

Julia Muñoz Galilea in memoriam

Hay junto a Cimeria una espelunca en hondo retiro,
monte cavo, mansión y santuario del ignavo sueño,
donde nunca, naciente, mediante o cadente,
Febo entrar puede. Niebla y calígine mezcladas
exhala la tierra, y la dudosa luz crepuscular.
Ni el vigilante alado allí con los cantos de su crestado pico
evoca a la Aurora, ni con sus voces el silencio rompen
solícitos canes o, más sagaz que los canes, el ganso;
ni fieras, ni ganado, ni ramas movidas por la brisa
o disputas de humanas lenguas producen sonido:
muda, la quietud habita. Pero, pese a todo, de la roca sale
el arroyo de la laguna Lete, por el que con murmullo lábil
invitan al sueño las ondas con los crepitantes guijarros.
Ante la boca del antro, fecundas adormideras florecen
e innumerables hierbas, de cuya leche el sopor,
la Noche toma y esparce, húmeda, por las opacas tierras.
Las puertas, al volver sobre sus goznes, no producen estridor:
ninguna en la mansión toda hay; guardián en el limen, ninguno.
En medio del antro un lecho hay, de ébano, sublime,
plúmeo, unicolor, de negro ropaje cubierto,
en que reposa el propio dios, los miembros sueltos con languidez.
A su alrededor, doquier, imitando varias formas,
sueños vanos yacen, tantos cuantas espigas tiene la mies,
hojas el bosque, granos de arena el desierto.

OVIDIO, *Metamorfosis*, XI (592-615)

Preludio

—PREGO, LA SIGNORINA DELLA QUARTA fila. Come si chiama?

La luz blanca del foco que se posó sobre la muchacha impedía apreciar el rubor de sus mejillas. Se quedó muda, allí, paralizada por las miradas expectantes de los que la rodeaban. Incluso desde los palcos atiborrados la miraban. ¿Dónde se había metido? ¿Por qué estaba ahí sentada? Hacía un momento no era nadie. Y seguro que después, al acabar la representación, el espectáculo o lo que fuera, tampoco sería nadie. Se diluiría en la noche caminando por una calle oscura, lejos del resto de los asistentes. Caminando. No para regresar a casa o buscar un bar hacia donde la llevara una cita con un amigo. En absoluto. Simplemente abandonaría el local, dejando de ser eso: la signorina della quarta fila. *Se disolvería en una ausencia perfecta.*

En cuanto al espectáculo, no había duda. Aquello era una cosa barata y provinciana. El chaqué del tipo que parloteaba en el escenario no daba el pego. Bastaba con ver el luminoso con bombillas de colores que habían colgado de lo alto, sobre el proscenio:

Menuda farsa. Seguro que aquel charlatán intentaría atarla a un panel giratorio y lanzarle puñales con los ojos vendados. Pues iba dado. ¿Por qué no le quitaban el maldito foco? La joven hizo pantalla con las manos sobre sus ojos apretados. Pero el artista no estaba dispuesto a cejar. Era un verdadero pesado. De los que dan grima.

—¡Il nome, señorita! El suyo nombre. ¿Your name?

Estábamos buenos. No lo pararía nadie. Era igual de ridículo quedarse allí, sin decir palabra, que subir para que la metieran en una caja con ruedas e hicieran como si le descuartizaran el cuerpo. La cabeza en este trozo de caja de aquí. Por allí los pies, coleando. Y el tronco, reconocible por el vestido, tras un cristal, en el fragmento más grande de la caja. ¿Y si simplemente se levantaba y se abría? Seguro que los imbéciles de su propia fila no le dejaban pasar.

—*Vamos, dile tu nombre, bonita, que no te va a comer*—, *dijo uno provocando el alborozo de todos. Y luego aplaudieron fuerte, para animarla.*

No le iba a quedar más remedio que decirle el nombre. Emilia, Dolores, Asunción, Magdalena, o cualquier otro nombre. ¿Cómo diablos se llamaba? Ésa sí que era buena. Estaba tan avergonzada que no sabía ni su propio nombre. ¿Aitana?, ¿Nerea?, ¿Irenka?, ¿Fernanda?, ¿Chantal? Aunque una vez dicho, el que fuera, vendría el infierno. Porque si dices tu nombre en un caso de ésos, ten por seguro que van a hacer contigo lo que quieran. Por ejemplo atarte de arriba abajo con una soga. Y después, de un tirón, sacarte como de la nada el sostén y enseñárselo al público. Para que todos rían a mandíbula batiente. Vamos: se desternillen.

Como espoleado por la resistencia de la espectadora que había escogido al azar, «Il Grande Stefanini» extendió los brazos para detener los aplausos, sin perder ni por un momento la sonrisa artificial con la que amenizaba su cháchara.

—Non importa. Io adivineró el su nombre. Il grande Stefanini sa tutto: todo lo conose. ¡Forte aplauso per la signorina! ¡Brava donna!

Fatal. Se había levantado, por fin, para irse. Y el muy desgraciado había aprovechado su gesto para tergiversarlo y hacerles creer a los embobados espectadores que ella iba a subir al escenario. Así, motu proprio. *Aplausos, silbidos, piropos. En fin. Habría sido mejor aceptar desde el principio. Porque ahora ese cerdo podía muy bien tomarse la revancha clavándole un puñal en el centro del estómago. O serrándole una pierna como por descuido. Peligra la vida de la artista.*

—Prego, silenzio. Ciao, bella signorina. Guardami negli occi. Mírame a los ojos, pequenia. Trancuila. Relax...

El silencio más absoluto se había apoderado de la sala. ¿Qué quería aquel imbécil?

—Ecco. Ya é veramente ipnotizzata. Vediamo: si chiama... Su nombre es... ¡Ecco!: Beatriz Vargas Duval.

Está bien. Beatriz Vargas Duval. Ése era su nombre.

Claro. ¿Por qué se le había olvidado? La verdad es que no se estaba mal allí. Gracias a Dios habían bajado la intensidad del foco. Ahora era como una linterna, como la llama de una cerilla a punto de apagarse. Y los ojos de «Il Grande Stefanini» le conferían una agradable tranquilidad. Sí, se llamaba Beatriz Vargas Duval. ¿Su infancia? No, mejor no removerla. No podía. Nunca pensaba en eso.

Su infancia.

Bueno, había una imagen: ella con su madre en un fantástico jardín. Con los almendros llenos de abejas hasta arriba. Ella llevaba un vestido de flores. Pero estaban quietas. Las dos estaban quietas todo el tiempo. Cogidas de la mano y sonriendo de frente. Beatriz no quería, por favor, señor Stefanini, no quería volver por allí.

—Vediamo: il futuro. ¡Ah! ¡Dottoressa! Brava professione. ¿Ma ché...?

De pronto, «Il Grande Stefanini» se quedó helado. Hubo un enorme tiempo de suspensión, en el que algunos murmullos del público más exigente corrieron por la sala. ¿Qué había visto, el mago, tras los ojos de la bella muchacha, de la desconocida? Al fin carraspeó con oficio para salir de su ensimismamiento. Y reclamando de nuevo silencio absoluto en la sala, extendió los brazos con todo su poder ante Beatriz.

La gente, de verdad, se quedaba encandilada con los trucos del farandulero. Sobre todo ahora. ¿Estaba levitando, la muchacha, o eran el humo y los juegos de luces de colores desde el fondo del escenario los que hacían...? No. Seguro que estaba levitando. Porque «Il Grande Stefanini» pasaba un enorme aro alrededor de su cuerpo rígido y tumbado en el aire.

—¡Grazie mile! —gritaba el virtuoso, al tiempo que su espinazo se doblaba en una ridícula reverencia. Y señalaba después con la palma extendida a Beatriz, de pie a su lado, otra vez consciente, pero tan confundida como antes. Y tomándola de la mano la acompañó hasta la escalerilla que descendía alfombrada hacia el patio de butacas.

—Ci vediamo. Volveremos a vernos —dijo, bufo y misterioso, el artista, abandonándola ante el pasillo.

Beatriz bajó desorientada los peldaños. Caminó hacia el fondo de la sala. Ya nadie la miraba. Detrás, «Il Grande Stefanini» reclamaba la atención. Ahora hipnotizaría a todos los presentes. Era un proceso delicado. Su mente podía quedar abrumada al ponerse en contacto con tantas otras. Un compañero suyo, su maestro, «Il Incredíbile Fausto», practicando ese peligroso experimento había caído fulminado en un delirio del que ningún médico logró arrancarlo. Era la primera vez que él lo intentaba con tanta gente. Nadie más peligraba, sólo «Il Grande Stefanini». Pedía la máxima colaboración del atentísimo público. Silencio, prego.

Beatriz cruzó el umbral del teatro sin atender al saludo del portero. Tomó por la callejuela hacia arriba, hacia ninguna parte. Y se fue diluyendo poco a poco en la nada, según se alejaba del campo de luz de una farola.

En una perdida calle de cualquier ciudad. Como si nunca hubiera existido.

Primera parte

Los pasos de la inocencia

I

—Es como para ponerse a vomitar, de vieja, cumplir veinticinco años.

Eres tú quien ha murmurado eso. Vamos. Cierra los ojos y dispónte a vagar al compás de mi voz. Y deja atrás esta luz molesta del presente. Imagina el mar gris estirándose para abordar el acantilado. Imagina el sol del atardecer cegando a medias los ojos lentos. Contra el parabrisas danza como el péndulo de un reloj un muñeco de trapo. Aferrada al volante tomas las curvas con el vago ensueño de estar cayendo irremisiblemente en un tiempo arisco como el tiempo de nacer. Antes no hay nada. Sólo esa sensación de haber abandonado la infancia hace algunos años y para siempre. Y el vago deseo de no ser; de huir del destino al que confluyen tus desordenados pasos. O de esquivarlo con un brusco movimiento de los brazos sobre el volante, para precipitarte de una vez por todas desde lo alto del acantilado.

Así que recobras el aliento al dejar lejos, a un costado

del coche, la ribera. Justo en el momento de alcanzar a ver la cala en la que se alzan los tres pabellones de esta clínica. La misma perspectiva en que está tomada la fotografía del prospecto que has desplegado sobre tus rodillas.

CLÍNICA DE REPOSO DEL DOCTOR VON HAGEN

Ante la verja de entrada te detienes. Y ahora reproduce despacio el gesto con que alargas el brazo con tu documentación. El guardia la recibe demorando su mirada en el vértice del escote de tu blusa blanca. Y tú hundes púdica la barbilla en la hoyuela, para observar si has descuidado algún botón de la pechera, aspirando al tiempo el rastro dulce del perfume que llevas, amalgamado con tu savia. «Un gesto como éste», piensas, «rinde a cualquier hombre, pues lo libra de nuestra mirada; entonces puede fisgar a gusto, revolver los cajones de nuestra habitación y pasar sus asquerosas manos por las medias negras, por las cartas de la niña, por sus cofres llenos de bisutería».

«Beatriz, Beatriz, Beatriz Vargas Duval», ha dicho el guardia leyendo el documento, o quizá una sola vez, pero demorándose en cada una de las inflexiones de tu nombre, que da forma por fin a lo que hasta ahora sólo era una sombra: tu nombre asciende resbaladizo por los costados de tus caderas, moldea los largos dedos de las manos, acompasa el latido de los senos bajo la blusa, ruboriza las mejillas indiscretamente, perfila uno a uno los cabellos negros, redondea las pupilas que te sorprenden en una mirada esquiva desde el retrovisor.

Después de la entrada, una carretera bordea los pabellones y las isletas de césped entre las que deambulan figuras con descaminados cursos. Un anciano vestido de blanco esgrime su bastón para acompañar un soliloquio del que te llegan palabras grandilocuentes. A su lado una enfermera empuja una silla de ruedas desde la que tuerce el cuello con gesto simiesco un joven. Una muchacha se levanta las faldas para mostrarle la lencería a un enfermero en jarras. Varios hombres y mujeres se hallan sembrados al desgaire por entre los apacibles jardines: exponen fragmentos de sus cuerpos pálidos a lo que queda de sol; lloran desconsolados al pie de un roble; caminan torpemente por un sendero que nunca los alejaría demasiado de los pabellones; o permanecen idiotizados en la persecución del vuelo de un insecto, de una lejana verdad inaprensible de su pasado, del recorrido brillante de tu pequeño coche rojo, que ya llega junto a la escalinata del pabellón central.

—El doctor Emile von Hagen lamenta no poder recibirte. Se halla trabajando a fondo con una de nuestras pacientes. Su evolución le preocupa especialmente.

Todavía bella, precediéndote vivaz con la más pesada de tus maletas, la enfermera Friederike Bergengruen pronuncia con eficacia el castellano.

—Me ha encargado que te enseñe la habitación.

Por una escalera en espiral, o, mejor aún, en el espacio mínimo de un ascensor de roble, subís una y otra vez hasta el último piso del edificio. Una y otra vez. Al abrir las hojas de la puerta frente al último rellano de mármol, dudas en cruzar el umbral. Lo haces tras Friederike, asustada, con el deseo inconsciente de regresar a tu casa en la ciudad ruidosa que has abandonado.

Los largos, intrincados pasillos de la planta acceden a las habitaciones del cuerpo médico del centro. En la que te han adjudicado, Friederike Bergengruen te informa del horario de trabajo, con los brazos en cruz, vuelta hacia la ventana, inmóvil en el instante en que acaba de descorrer las cortinas para dejar pasar el reflejo metálico del mar recortando su silueta.

—...Pero hasta mañana por la tarde no deberías preocuparte. Tienes tiempo para conocer un poco los alrededores. Casi todos tus compañeros viven en Cadaqués. Y tú acabarás haciéndolo, sin duda. Aquí terminas perdiendo la intimidad, y el horario, ya verás. Sólo es obligatorio quedarse durante las noches de guardia.

Friederike esboza una sonrisa cansina. Es una mujer acostumbrada a hablar sola, por lo que su conversación guarda siempre algo vidrioso, un tono por el que asoman con discreción sus complejos. «Estoy sola», parecen decir sus ojos apagados. «Fui bella. Pude haber transmitido mi belleza a un par de niños adorables. Pero ahora mírame aquí, estéril, inservible ya para los cerdos que me cortejaban.»

—En el pueblo los alquileres son todavía asequibles. Pero no digas que eres psiquiatra del centro, porque entonces suben bastante. Ya sabes.

El mar restalla de nuevo contra el cristal de la ventana. Horas más tarde, erguida en la playa, lanzas un guijarro sobre la superficie del mar, que repite y alarga la mancha blanca de la luna. No sabrás nunca que una sombra te está espiando desde unos matorrales. Tu piel se estremece inconscientemente en la percepción de esa sombra, mientras la mirada, fantasiosa, te imagina sumergida y desnuda, con la melena palpitando al aire de las corrientes submarinas. Pero no es una mirada movida por el deseo, sino por una curiosidad cargada de inocencia, más tierna que libidinosa.

Vamos, Beatriz. Abandónate por un momento a la seguridad de estar inserta en este tiempo. Y deja de preguntarte quién habla. Habla la razón, el orden. Aférrate a mi voz. Es lo único que tienes.

De vuelta en el pabellón, levemente cansada pero con la seguridad de que aún no podrás conciliar el sueño, saludas con una sonrisa al guardia de la tarde, que te ofrece un cigarrillo para entablar conversación, evitando mirarte a los ojos. Desde la cabina llega el falsete de la radio repasando con una pasión forzada las noticias del día. Rechazas el cigarrillo con cualquier broma y te diriges sin dudarlo a la escalera que envuelve con su espiral blanca el hueco del ascensor.

—Demasiados pisos. ¿Por qué no sube en ascensor?

—Me dan miedo los ascensores —has respondido riéndote.

—Bueno, aquí todos tenemos alguna manía —exclama el guardia—. Si quiere la acompaño.

Pero ya has comenzado a trotar sobre la escalera, femenina, trenzando hábilmente el ritmo de una melodía con el tamborileo de los tacones. Al llegar al primer rellano te detiene el ronroneo grave de una voz, quizá imaginaria, que viene de algún recodo de los pasillos. Es divertido adentrarse por este camino desconocido. Como en un juego exploras los corredores que se enlazan en un recorrido tendente al círculo, fisgando por las rendijas de las puertas, y te pierdes tontamente. Cuando estás convencida de que has inventado aquella voz, ya no sabes volver a la escalera.

El regreso se transforma en un temeroso vagar, y casi es una huida cuando ves luz en un despacho y entras decidida a preguntarle a alguien cómo debes hacer para subir a tu habitación. Dentro, de espaldas, un hombre grueso, de unos cincuenta años, vestido con bata blanca, le habla a una mujer joven con un susurro que invoca el descanso o el placer.

—...Rodeada de espuma en la bañera extiendes el brazo limpio y frágil, y con una cuchilla, despacio, dibujas un surco en tu muñeca: una rosa perfecta por donde la vida fluye desorientada...

Escuchas dudando, sin entender el sentido de la escena. El hombre no ha notado tu presencia, y la mujer está enajenada, con el cuerpo inmóvil pero los ojos inmensamente vivos. Te arrepientes de haber entrado. Protegida por unas estanterías en donde se amontonan los medicamentos, retrocedes y entornas la puerta. No importa ahora cómo encontrarás tu habitación, cómo te entregarás rendida a los otros laberintos de una pesadilla.

II

Ya eras adicta antes de llegar a esta clínica. *Adicta,* esa palabra sola basta, sin complementos. Todos somos adictos. Es suficiente con hallar la sustancia, la emoción que canalice nuestro vicio, y después darle rienda suelta para dejar que nos corroa a gusto, con esas cascadas de felicidad, de enajenación o de angustia que caracterizan todo proceso de adicción. Adictos al sexo o a los ejercicios violentos para convertirnos en un montón de carne en lenta putrefacción. Adictos a un dios o a la caridad para cerrar los ojos ante el aislamiento y la incapacidad de aceptar los plazos. Adictos a la ternura, al pueril cariño, en un movimiento recíproco de estupidización con otros enfermos como nosotros. Adictos a las mañanas soleadas, adictos al engaño, a las palabras, a los vegetales, a los sueños, a los vapores del vino, a la conversación precisa, al mar, a nuestra madre, a la ficción, al llanto, a la defecación, a las carcajadas de las prostitutas, a la cocaína.

Tú te has especializado en los fármacos. Preferiblemente en los psicofármacos, pero sin hacerle ascos a cualquier tipo de analgésico, sobre todo a los opiáceos, o a los jarabes de colores, que te retrotraen a la infancia a base de codeína y dulcedumbre.

Después de recomponer minuciosamente frente al espejo algunas de las facciones de tu rostro insolente, de disimular apenas las ojeras aprovechando su leve tono violáceo para combinarlo con otros y dotar a tu mirada de una falsa curiosidad, ingieres dos fenobarbitales y un roipnol. En contraste con el fondo plateado de la cajita, las píldoras brillan rodando entremezcladas, con sus inocentes colores.

Sobre la mesa del despacho del director está el currículum que le mandaste, la caligrafía algo mentirosa detrás de cuya deformidad late aún la inocencia de una niña que junta letras en una escuela estatal. A su lado se alza, fugaz en su pedestal, descabezada y sin brazos, una estatuilla de bronce que representa a un hombre caminando.

Ensimismada estás, en su paseo idiota, cuando entra Friederike Bergengruen, y tras ella la figura gruesa y amable que espiaste la noche anterior, en la sesión de hipnosis. Pese a que entonces no llegaste a ver su rostro, tu fantasía ya ha trazado inconscientemente algunas de sus líneas acogedoras. Así que vives la escena con la vaga sensación de que se repite; con esa ligera angustia, engañosamente posterior, de que los filos del presente están siendo rescatados a duras penas del pasado por la memoria. Friederike hace las previsibles presentaciones. Con Emile von Hagen no hay hielo que romper. Afablemente te indica un sofá, toma de la mesa tus papeles —mientras la enfermera abandona la sala con discreción— y se sienta a tu lado.

—Veo que se ha fijado en mi escultura. Comparto su curiosidad. Es una réplica apreciable de otra encontrada en Murcia, en Jumilla. He comprobado que como talismán resulta eficaz, y como pisapapeles. Representa a Hipnos, el dios del sueño, sembrando adormidera en una de sus escapadas nocturnas.

Von Hagen, especialista en provocar dolores de cabeza, podría seguir así un buen rato, si no hubiera notado que acabas de apretar los labios para anular la expresividad de un bostezo tremendo. Entonces golpea bruscamente con el dorso de la mano tu currículum.

—Una carrera brillante. No hubiera necesitado leer esto para contratarla. Los elogios del profesor Sánchez Galiano son aval suficiente.

Espera una respuesta que no llega. Se ve obligado a seguir.

—Sánchez Galiano es uno de los pocos colegas con los que todavía mantengo contacto. Uno de los pocos que no han dejado de pensar con el fin de dedicarse a la estadística. Pero sabrá que sus estudios no la cualifican para esta profesión —deja aquí una pausa para reconfortarse con tu desconcierto—. En realidad ningún estudio lo hace. La práctica de la medicina es, por desgracia, profundamente empírica.

Quieres hablar. No has pronunciado una sola palabra desde tu llegada que no sea música vacía: respuestas amables, excusas o evidencias maquinales que no acababan de darte vida. Sin embargo no encuentras en el pecho aire suficiente. No tienes voz. Las palabras que cruzaste con el guardia o con Friederike eran los gestos desesperados de una muda.

—Nuestra disciplina, por ejemplo —continúa Von Hagen con un acento semejante al de Friederike, pero matizado por una molesta profundidad de conferenciante—, nuestra disciplina ha imaginado al hombre. Cientos de veces ha construido el alma, la mente humana, más bella y palpable de como la trazó la naturaleza. Sólo para esbozar una tipología comprensible de lo que llamamos «enfermedades de la mente», una diagnosis acorde, una terapia efectiva. Pero otras tantas veces la práctica ha desdibujado aquellas teorías y el alma ha escapado, libre de la mirada del estudio. Inclasificable.

—No es ésa la imagen que se tiene de su ciencia en la universidad. Siempre le han considerado un filósofo, un esotérico. Se le acusa de haber renunciado a la realidad.

Estas palabras, pronunciadas con firmeza, te recuperan de entre la niebla e inician el compás de los latidos en tu corazón, el recorrido centrípeto de la sangre por las venas. En tu lenguaje te reconoces, y adquieren entonces tus pupilas el color de la inteligencia: el sabor de los resquicios del pasado que instauran la memoria. Respira. La bocanada de aire abre definitivamente tus pulmones a la vida.

Von Hagen sonríe, porque temía que tu primera frase fuera una insípida muestra de sumisión, otro aplazamiento de Beatriz Vargas hasta la hora en que decidieras darte a conocer. Se levanta del sofá con decisión y te invita a acompañarlo para conocer al doctor Zabala.

—Empezará a trabajar con él. Mañana mismo, si no le parece mal.

Siguiendo a Von Hagen te adentras por los pasillos del pabellón segundo, poblados por una interminable sucesión de rostros que no encubren la locura, acompañados siempre de otros rostros firmes, profesionales, amables.

Las batas blancas delimitan la zona de la cordura. Tú vas vestida de calle. En realidad, ante las miradas que te escudriñan hostil o científicamente, eres una enferma más. Intuyes que los médicos imaginan para tu pasado, antes de saludarte, un intento de suicidio, un escarceo incestuoso o una leve depresión que, escondida desde la infancia, se habrá manifestado recientemente como una brutal, inevitable esquizofrenia. Para romper el continuo equívoco, Von Hagen tiene que presentarte sin olvidar añadir tu condición: «Doctora Beatriz Vargas.» «Nuestra nueva compañera.» «La nueva psiquiatra.»

Tumbada en tu cuarto, con gesto de niña aburrida, meditas sobre la impresión que te ha causado Von Hagen mientras esperas al momento en que comience la cena de recepción que el director ha organizado para ti. Es hora de calcular las posibilidades de dormir en la próxima noche. Extraes de la adorada caja dos cápsulas de ruticé. El vino hará, probablemente, el resto.

En el comedor del centro, situado en la planta baja del pabellón central, Von Hagen, puesto en pie, golpea con parsimonia un cuchillo contra una copa vacía. Puedes graduar, acompasado por el intervalo del agudo sonsonete del cristal, el descenso de la algarabía de los comensales, el murmullo conteniéndose, el silencio sólo interrumpido por el carraspeo de algunos.

El director habla de ti. Te dedica palabras elogiosas referidas a tu expediente y a tus incipientes investigaciones.

Reconstruye el momento, Beatriz. Siente, sin dejar de mirar hacia el orador, el molesto calor que inunda tus mejillas cuando varias personas te observan. Entre todas, la mirada del comensal que se sienta a tu derecha pulsa en el perfil blanco de tu cuello, cargada de matices obscenos. Se ha presentado como el doctor Ignacio Villalta.

Pero algo se lleva todas las miradas de tu rostro. Von Hagen ha alterado poco a poco los movimientos cordiales que subrayaban su retórica, ha abandonado los elogios, y traga saliva.

—Como ya sabrán algunos de ustedes, la pasada noche ocurrió un suceso lamentable que afecta a nuestra labor. La señorita Patricia Lido ha acabado finalmente con su vida. Un hecho no por predecible menos lamentable, que, sin duda, como tantos otros, les hará reflexionar de nuevo sobre la validez de nuestra ciencia, de nuestra pequeña ocupación, de los costosos medios con los que intentamos, muchas veces en vano, hallar un camino para que otros lo recorran apaciblemente.

Apenas oyes el resto del discurso, en el que Von Hagen aconseja a todos los que han participado en el tratamiento de la mujer que acepten el fracaso como parte integrante, ineludible, de ésa y de todas las tareas. Te atormenta el recuerdo de las palabras que escuchaste la noche anterior en tu tránsito por el laberinto del primer piso. Más aún cuando alguien responde a una pregunta de Villalta: «Lo habitual: se cortó las venas en la bañera.» Una novata cotilla como tú puede estúpidamente no entender nada, tejer la historia pueril de un asesino trastornado al frente de esta institución. Cierras los ojos aturdida y rechazas la idea. Cuando Von Hagen calla y recomienza el murmullo, ahora contenido por un respeto tácito al cadáver nombrado de Patricia Lido, te saca de tus cavilaciones la voz del doctor Villalta, su sórdido comentario dirigido a un grupúsculo de compañeros que ríen convulsamente intentando contener el baileteo de sus mandíbulas.

—Un cuerpo perfecto borrado por una mente insana. Si la hubieran dejado en mis... manos, habría sido al contrario: cuidar el cuerpo y despreciar la mente. Un tratamiento sencillo, ¿o no?

III

Por los pasillos de la planta primera del pabellón segundo sigues los pasos atolondrados del anciano doctor Zabala. Estás en tu primera jornada laboral. Este hombre ni siquiera te ha mirado al rostro todavía, molesto con que le hayan colocado a una aprendiz de ayudante.

Desde su despacho no se ve el mar. Zabala trabaja en una inadecuada penumbra que estiliza la figura de los pacientes, afila aún más sus perfiles enjutos, ensombrece las inflexiones de sus voces. Ante ellos Zabala pierde los simples objetos con cuyo manejo sus manos descansan. Tú le indicas cortésmente que ha guardado el bolígrafo en el bolsillo de la bata, que el reloj ha quedado sobre una cómoda desde la última vez que se levantó, que nadie le ha quitado las gafas sino que penden sobre su pecho, colgadas de una cadena que le rodea el cuello. Zabala retoma el objeto buscado, chasquea la lengua y menea negativamente la cabeza. «Así», parece decir, «con una novata, no vamos a ninguna parte.»

El último de los enfermos que ha entrado al despacho se llama Francisco Ulloa. El doctor Zabala le está realizando una entrevista para corroborar alguna de las respuestas que ha dado recientemente en una prueba rutinaria.

—Bien —dice Zabala—. Su nombre es Francisco Ulloa...

—No. Debe de haber algún error —replica con una sonrisa preocupada el paciente—. Me llamo Andrés Sagasta, y soy el párroco de la iglesia de San Vicente, en Sigüenza...

—Su nombre es Francisco Ulloa —vuelve a empezar algo cansado Zabala—, y efectivamente nació en Sigüenza. Ingresó aquí a los veinte años, hace diez.

El paciente te mira y alza las cejas pidiendo ayuda. Dudando, consultas el expediente, por si Zabala ha vuelto a despistarse. La fotografía es reciente y el nombre está escrito con claridad: Francisco Ulloa. De cualquier forma decides probar por otro camino, no sin antes lanzarle a Zabala una mirada de complicidad.

—Señor Sagasta: ¿Podría decirnos cuál es el motivo de su visita?

Ulloa-Sagasta respira aliviado. Por supuesto, estará encantado de explicaros qué lo ha traído tan lejos de su pueblo. Anotas signos que fueron palabras en un cuaderno. Mientras Zabala se revuelve inquieto en su sillón, la voz del paciente va adquiriendo firmeza y sus frases se tiñen de una retórica que realmente parece sacada de largas mañanas de domingo en el púlpito, ante puñados de absortos feligreses.

—...Y he llegado hasta esta apartada diócesis para denunciar las aborrecibles costumbres, las prácticas heréticas en que han caído, vencidos por la desidia, no sólo muchos de sus pobladores, sino también algunos clérigos...

A medida que Andrés Sagasta crece en la mente de Ulloa se te va acelerando el ritmo del pulso; algo azorada, sintiendo la mirada de Zabala clavada en tu rostro, dejas de escribir y carraspeas. Ulloa-Sagasta se pone en pie, visiblemente alterado, y ensambla las frases de un discurso interminable salpicado de citas del Salterio y de los profetas.

—...Porque el Señor ha dicho: «¡Ay de los que a lo

malo llaman bueno, y a lo bueno, malo; de quienes de la tiniebla hacen luz, y de la luz, tiniebla; que truecan lo amargo en dulce y lo dulce en amargo! Como la lengua de fuego devora el rastrojo, la raíz de aquéllos se tornará en putrefacción, y su flor volará como el polvo...» Y yo os digo que he venido para traer la palabra del Señor, pero vuestros oídos están sordos por el pecado y vuestra cerviz curvada ante la faz de Satanás. Y nada os hará volver al camino de la vida.

Sobre la mesa negra tamborilean los dedos de la mano izquierda del doctor Zabala, que se imagina abandonando la bata, adentrándose despacio en el enjambre del pabellón segundo para mezclarse para siempre con los enfermos, la sorda tentación de todos los psiquiatras de esta casa.

En vano tratas de calmar al exaltado Ulloa, que ha caído de rodillas, con los brazos crispados y las manos extendidas, vueltas hacia el techo lóbrego del despacho.

Agotada por la infructífera jornada, estás ante la puerta de la biblioteca. Has decidido documentarte sobre los pacientes que acabas de conocer. Abres la puerta con un incómodo montón de carpetas entre las manos y te adentras en la sala en tinieblas, tenuemente iluminada por la luz de la luna que se desliza a través de la cristalera de una claraboya situada en el centro del techo. Detenida por el embrujo de los reflejos en el lomo de los libros que se intuyen entre las estanterías, demoras un instante el acto de pulsar el interruptor. Al hacerlo, una luz débil ocupa la sala. Aspira hondamente el perfume seco de la madera y el papel.

Eliges una mesa lejos del centro. Con el mohín de la niña que llega la primera a la clase vacía, abandonas las carpetas y enciendes la lamparita del escritorio. Tu cuerpo se estremece de pronto. Unos pupitres más allá el doctor Villalta acaba de lanzar el último ronquido de su letargo. Cabecea y mira a su alrededor, sin llegar a abandonar el sueño, hasta que se descubre observado.

—Vaya. Me he quedado completamente dormido. ¿Ya es de noche?

El doctor Villalta se incorpora, alisa con un gesto ridículo los pliegues de la chaqueta y se acerca a ti pavoneándose como un ganso, con las gafas en la mano.

—Muy bien —examina de reojo el bulto de las carpetas—, veo que ya has comenzado a trabajar. Acabarás asimilando que habría sido mejor instalar una consulta en cualquier ciudad. ¿Que idea has sacado del centro?

—Es un lugar extraño, pero no me quejo. Me acostumbraré.

—Claro, claro.

El doctor Villalta se queda frente a ti. Parece estar calculando cuánto tiempo aguantarás en aquel trabajo sin ser presa de un ataque femenino de histeria o algo así.

—Me han dicho que has comenzado con Zabala. Se merece un descanso, el viejo, ¿eh? ¿Con qué pacientes te has topado de momento?

Villalta parece dispuesto a quedarse ahí toda la vida. Molesta, pronuncias alguno de los nombres de los enfermos que acabas de dejar.

—No está mal, no señor. Te vas a divertir de lo lindo. Y se ve que Von Hagen todavía confía en su decano. En fin. Yo ando ahora atolondrado, casi. Nada nuevo. Un imbécil que se dedica a poner querellas a todo el mundo. Fue fiscal del estado, o algo así, en Bélgica; imagínate. Me encantan los pleiteantes, pero cuando hablo en francés se me pone cara de estar cogiendo insectos con pinzas. Y también tengo a una especie de insensato que sigue empeñado en leer sus memorias en una sesión plenaria de las cortes. ¿Recuerdas? Salió en todos los periódicos. Burló los sistemas de seguridad, un día, y los dejó boquiabiertos, a los pocos que habían asistido. Alguno pensó que se trataba de otro golpe de estado.

»Ahora bien, te confieso que mi máxima aspiración es volver a tratar a un licántropo. Como lo oyes. Pero ya no quedan licántropos, aquí, en Europa; porque esto es Europa, niña, ya lo verás, con sus límites tan claros, su selección natural en los habitantes, y esa algarabía por los pasillos, tan exquisitamente incomprensible.»

Villalta detiene de vez en cuando su parloteo, esperando observar tu conformidad, una sonrisa. Al no encontrarla busca otro tema, huyendo del silencio. Porque en el silencio Villalta no es nadie.

—Bien —exclama con su tono petulante—, imagino que ya conocerás algunas de las disparatadas ideas del profesor Von Hagen. No te preocupes. Sigue mi consejo:

no le hagas demasiado caso; pero tampoco te dediques a llevarle la contraria. A su edad es difícil cambiar. ¿Has leído su libro? Te lo aconsejo. Viene bien echarle un vistazo y comprobar lo peligrosa que es nuestra profesión para la estabilidad de la mente. Resulta divertido ver cómo un hombre va enloqueciendo gracias a los casos que trata. Es el viejo cuento: los cuerdos encerrados en la bodega y los locos al timón. Te aseguro que hay que andarse con cuidado. A todos se nos ocurren grandes ideas. Y luego hay momentos en que no sabe uno si es anfitrión o inquilino.

La puerta de la sala se abre para dar paso a Von Hagen. «Mucho cuidado», exclama divertido Villalta: «te va a enseñar todos los libros». Y se despide con ademán histriónico para escabullirse como un ratón por el resquicio de la puerta entornada.

Von Hagen se acerca a ti. Amablemente te hace algunas preguntas vacías. Amablemente respondes vaciedades. Sólo le afecta tu asombro ante la biblioteca. Sin disimular su orgullo comienza a hablar de cómo ha reunido los textos desde su juventud.

Te ves envuelta en la conversación de la que te ha prevenido Villalta. Por tu mano pasan los volúmenes emblemáticos de aquella colección sin fin. La traducción latina, publicada en el XVI en Amberes, del *Cratilo* de Platón, en Von Hagen busca con la yema del dedo el río irrepetible de Heráclito. Una copia, en rollos manuscritos, probablemente realizada en el siglo VI, del *Papyrus Berolinensis* gnóstico, comprada por el propio Von Hagen a un anticuario de Alejandría. Con una escalera de mano y las minúsculas gafas sosteniéndose apenas en la punta de la nariz, Von Hagen trepa pesadamente por los estantes para extraer tomos o legajos. Luego extiende las obras sobre alguna de las mesas y comenta aspectos de la tipografía, de los grabados, de la tersura del papel, de la edad de las palabras dibujadas con trazo firme en los márgenes por lectores minuciosos.

—Resulta difícil concebir que todavía podamos añadir alguna obra a las que se han escrito. Y, sin embargo, hay caminos que el pensamiento del hombre apenas ha comenzado a desbrozar; hay todavía algunos libros que esperan para ser escritos. Quizá usted misma sea la autora de uno de ellos. ¿Sabe que he leído su tesis? Fernando Sánchez Galiano me la envió hace unos meses, con una valoración de sus hallazgos. No ignorará que él estima su trabajo. A mí también me pareció admirable la paciencia con la que ha estudiado esas... —toma aire aquí porque sin duda él, como tú misma, no ha entendido el propósito de la tesis— ...esas alteraciones en el córtex cerebral durante el sueño. Sus deducciones son muy interesantes.

—De poco me sirven para este trabajo —dices sonriendo para que Von Hagen no confunda tu falsa modestia con el desaliento.

—Nunca se sabe. Quizá aquí podría ampliar sus experimentos, aunque tenemos un poco abandonada la unidad de trastornos del sueño. ¿Ha practicado alguna vez la hipnosis?

Retiras la vista del rostro de Von Hagen, que ha fijado con su última frase la suya sobre tus ojos. Su mirada es para eso. Quizá ensaya por las mañanas en un espejo, sin hartarse de su maldita cara.

—Es curioso —continúa al oír tu negación—. Su profesor confiaba igual que yo en las posibilidades de la hipnosis como método de indagación en el inconsciente de los pacientes. ¿Sabía que Freud la desechó principalmente porque él mismo era un pésimo hipnotizador? Necesitaba horas para poder comenzar una sesión. No todo el mundo posee la capacidad. Déjeme mirarla. No se preocupe. No voy a hipnotizarla aquí.

Von Hagen te toma con las manos la barbilla. Es el primer contacto acogedor, la primera caricia de un padre ridículo. Y tú imaginas, sientes esa mano descendiendo temerosa por tu espalda hasta detenerse en las nalgas, mientras él te escudriña a través de los ojos. Tragas saliva con dificultad. Algo brilla tras la bondad de su mirada. Un desconcertante deje de sabiduría o tal vez un dolor obstinado, que unido al corte brusco que su acento germánico imprime a sus palabras te provoca cierta desconfianza. Sin embargo sus labios, blandamente cerrados, y su frente casi lisa prometen un espíritu entrañable. Pero odias que te miren tan a fondo.

—Tiene unos ojos interesantes. Uno pardo y otro más bien agrisado. Y esos bultos sobre las cejas... ¿Conoce el tratado de frenología de Gall? Bueno. Imagino que si en la universidad han dejado de estudiar a los clásicos no van a interesarse por la fisiognomía. Es una ciencia muerta. Como le decía —Von Hagen suelta tu barbilla y apaga el fulgor impostado de su mirada—, su trabajo me ha parecido más que correcto. Quizá algo falto de ambición, algo mecánico, pero eso es lo que se exige de una tesis, claro. La verdad, yo nunca he llegado a comprender los encefalogramas. Cuando un hombre sueña que le clavan un cuchillo, la línea quebrada no resulta muy distinta a la de cuando sueña que tropieza. Desconcertante, ¿no cree?

IV

Al verte, Beatriz, al ver tu cuerpo estúpidamente joven y bello, que incluso ahora convoca al deseo, hasta yo mismo tengo la tentación de pensar que la vida es otra cosa, que no lanza despiadada esas promesas de felicidad a las que tantas veces nos aferramos como si fueran a cumplirse. La vida es un proceso patológico que conduce irremisiblemente a la muerte, pese a los ineptos afanes de los médicos y de los religiosos, que trabajamos con el mismo proyecto irrisorio. Pero dejemos ahora eso, ya que hay tanto vacío que ocupar.

En una sala del tercer piso del pabellón segundo Von Hagen interrumpe su conversación con un paciente y se vuelve hacia ti, que acabas de entrar y estás detenida cerca del umbral, intentando recordar la sustancia de los pasos que te han llevado hasta ese lugar. Llevas ya una semana en el centro, y todavía no te has orientado del todo, así que cuando alteras un recorrido rutinario dudas tanto que pareces una loca más, una enferma de Alzheimer atrapada en la encrucijada de dos pasillos.

Von Hagen hace las presentaciones: tú te llamas Beatriz Vargas, la doctora más joven de la clínica; el paciente se llama Alessandro Stefanini. Al ser nombrado, Stefanini esboza para ti una sonrisa encantadora que dulcifica su rostro duro, de no más de treinta y cinco años, iluminado por una atractiva inteligencia. Está cómodamente sentado en un sillón, y desde un flanco lo vigila de reojo un enorme enfermero llamado Hans. Es ahora cuando tienes la absoluta seguridad de haber contemplado ese rostro en alguna parte. Remueves el pasado, pero lo hallas desconcertantemente despoblado.

Von Hagen baraja papeles en uno de los cajones de un fichero metálico. Extrae de una carpeta un sobre con las iniciales «A. S.» Tú te has quedado absorta en la mirada de Alessandro Stefanini, que de forma gradual va perdiendo su condición apacible y está crispándose asombrosamente.

—Tengo la sensación —dice Stefanini escogiendo cada uno de los sonidos de un lenguaje que no maneja con soltura— de que nos hemos conocido en otra ocasión. ¿Ha estado alguna vez en Roma? ¿Ha lanzado torpemente monedas a una fuente?

Mientras remueves en la memoria —pero tú no has estado en Roma, ¿verdad, Beatriz?, ¿o es que alguno de tus amigos te llevó allí durante unas cortas vacaciones; te paseó por una calle y otra para sentir ávidas las miradas de jóvenes romanos emperifollados posándose de reojo sobre el bulto de tus pechos?—, mientras desistes en tu intento de conformarte un pasado sólido fuera de las fronteras de esta clínica, casi sin que te des cuenta, Stefanini salta y golpea al enfermero Hans en su oronda barriga. Aún no has podido tomar aire para gritar cuando se está abalanzando sobre ti. Pero Von Hagen ha reaccionado con una velocidad inadecuada a su edad y su tamaño. Su cuerpo se interpone justo a tiempo para detener a Stefanini, lo arroja fácilmente contra la pared, con una fuerza que no aparentaba. Otros enfermeros han entrado al oír el ruido. Se lanzan sobre el paciente, lo reducen, ayudan al compañero, que logra ponerse en pie, y se llevan a ambos.

Von Hagen te pide excusas. Estás bien. Sólo un poco asustada. Te explica que Stefanini, florentino, era artista antes de perder el juicio. Se anunciaba como «Il Grande Stefanini», uno de esos espectaculares hipnotizadores capaces de poner en trance al tiempo a veinte o treinta espectadores en la oscuridad de un teatro. Von Hagen asistió el verano pasado a una de sus funciones en Barcelona, y quedó cautivado con su técnica.

—Lo sé —has dicho, para asombro del doctor—. Lo vi. No recuerdo cuándo. Pero creo que lo vi. Es todo tan familiar.

Von Hagen continúa con su relato. Se puso en contacto con Alessandro Stefanini, el mismo día en que lo vio actuar. Le pidió colaboración. Llegaron al acuerdo de que el artista acabaría su gira por España e iría después a instalarse en Cadaqués durante unos meses, con sueldo de la clínica, para enseñarle los secretos de su depurada técnica al doctor. Desgraciadamente las cosas se complicaron. En una de sus exhibiciones, en Mallorca, Stefanini no pudo hacer volver al estado consciente a un joven del público, que quedó atrapado en una regresión infantil. La policía lo confinó cautelarmente en el hotel donde residía, con su mujer y sus dos hijos. Allí, el grande Stefanini se dio a la depresión y al alcohol, como otras veces en su vida, pero ahora de una forma frenética. Una mañana lo despertó la policía junto al cadáver de su esposa. Le había talado la cabeza cortando el cuello metódica y pacientemente con una cuchilla de afeitar. Sus hijos no corrieron mejor suerte. Uno apareció estrangulado con el tubo flexible de la ducha. El otro había sido arrojado por la ventana. Una camarera del hotel lo descubrió aplastado en el patio, de madrugada. Y llamó a la policía.

Al conocer los hechos Von Hagen no quiso olvidarse de Stefanini y movió sus influencias. Tras algunos meses de pugna, el juez permitió al fin que fuera confinado en el pabellón tercero, el de los enfermos peligrosos de la clínica. Dado el comportamiento impecable del paciente, Von Hagen no tardó en trasladarlo al que cree que es su verdadero lugar, el pabellón segundo. Y ahora ha pensado en ti para que le ayudes en este caso, puesto que se encuentra verdaderamente desorientado, y en realidad es él, y no Zabala, quien más trabajo tiene. Pero después de lo que acaba de suceder duda. Es la primera vez que Stefanini actúa de forma violenta. Claro está: desde que acabó con su familia.

—Bueno, ya lo sabemos —te apresuras a decir, porque no quieres desperdiciar la oportunidad de trabajar junto a Von Hagen, incluso aunque sea con ese tipo sanguinario—. Con las medidas de seguridad que hay aquí no podrá sorprenderme. ¿No irá a echarse atrás por algo tan común como que me ataque un enfermo? No me había ocurrido antes. Y confieso que me ha asustado. Pero no pasa nada.

Von Hagen se queda detenido un instante en el iris ceniciento de tu ojo izquierdo.

—Veamos —dice al fin—: ¿qué paciente de entre los que ha conocido le resulta más interesante? Dígame alguno sobre el que se crea capaz de ejercer cierta potestad. Resulta enormemente complicado hipnotizar a alguien que nos considere unos imbéciles. Es un proceso más lento. Primero hay que convencerles de que se equivocan. Y eso no siempre se consigue, se lo aseguro.

No olvides, no olvides: tu nombre es Beatriz Vargas. Llegaste a esta clínica como un náufrago a bordo de tu flamante coche rojo en una tarde del mes de mayo de este mismo año. Eras: tu cuerpo envuelto en un batín blanco trazó un laberinto perdido de pasos entre los pabellones; brillaba en sucesivas mañanas salpicado de agua bajo la luz azulada por los baldosines en el baño de tu habitación; se revolvía en duermevela cada noche del verano, semicubierto por las sábanas, buscando un sueño más profundo en el que recogerse. Todo eso fue, sucederá. Sólo hay que avanzar despacio. Porque cada hecho es oscuro, y provoca un haz de caminos del que debemos escoger uno nada más. Uno que no desemboque muy lejos de a donde queremos llegar. Hay que moldear despacio esos hechos. Obligarlos a acercarse al presente en línea recta.

En este momento estás sumergida en una habitación con todas las ventanas cerradas, pero imaginas, fuera, la línea viva del mar ondulando sobre la arena de la playa. Desde tu costado izquierdo un flexo de luz amarilla ilumina el rostro hierático, en trance, del paciente Ulloa-Sagasta. Sientes en tu nuca el vaho de la respiración de Von Hagen.

—¿Qué hago ahora?

Lo has dicho con un leve deje de temor del que te arrepientes. Von Hagen posa una mano sobre tu hombro.

—Ya es suyo, tranquilícese —su aliento acaricia como un beso tu cuello desnudo—. Si lo identifica y le pregunta qué ve, vagará hacia donde quiera. Es mejor dejarlo ir.

Tomas aire y ensayas un tono de voz nuevo, que quiere ser autoritario y sólo consigue una modulación artificial, casi ridícula.

—Tu nombre es Francisco Ulloa. Dime dónde estás.

El paciente respira estableciendo un compás armónico con los latidos de tu corazón. Sus ojos se guiñan contra el foco del flexo. El sonido de su voz se remonta en los años, disparatadamente agudo para la edad del rostro del que emerge. Ha descendido a la infancia.

—Mi nombre es Francisco Ulloa. La piedra plana ha

caído en el número cuatro; pero no quiero saltar sobre la cruz, porque se está haciendo de noche y mi madre me espera con un pañuelo anudado a la cabeza, junto a la puerta del jardín de casa.

Desde el patio de la iglesia de San Vicente, en su pueblo natal, el niño Ulloa recorre algo asustado las calles que llevan a su casa. No quiere oír una voz molesta que le habla desde dentro, y se refugia corriendo en los brazos de su madre. Te atreves a insinuar alguna orden. Lo desplazas a través de los años y el salto resulta abrupto. Ulloa concluye el sexto vaso de vino cerca de una estufa de leña, en una pequeña taberna. Quiere levantarse y salir porque le molestan los insultos del tabernero, pero sus rodillas no le responden. Cae torpemente al suelo. Alguien intenta recogerlo, y él se sacude para rechazar la ayuda. Durante algún tiempo vagáis por distintas escenas turbias que él intenta describir en vano, con un balbuceo alcohólico que mezcla los sitios y los personajes. La voz a la que nunca deja de referirse se va imponiendo según avanzáis en el tiempo. Al principio era un reclamo; luego comienza a manejar sus movimientos. Él la reproduce impostando la suya, como si verdaderamente fuera ajena y a la vez interna. Entonces lo extraes de aquella tortura del pasado.

—Vuelve al presente. Cuéntame por qué estás en la clínica.

Hasta este momento Von Hagen te ha dejado hacer. Casi has olvidado su presencia. Pero cuando has pronunciado las últimas palabras se ha revuelto inquieto. Frente a ti, los músculos de la cara de Ulloa-Sagasta se tensan y los ojos brillan con un destello renovado. Sin embargo ha comenzado a hablar con una calma que hasta ahora su voz no reflejaba.

—Estoy preso, oprimido en la materia que ves, oculto como Jonás en el vientre de la ballena, esperando la hora de mi resurrección. He venido a abriros los ojos, porque vuestra obstinación los ha entregado a la oscuridad. He venido a quebrar la vara del diablo.

—Está bien, Beatriz —interrumpe Von Hagen—, este hombre acumula demasiada tensión. Vamos a llevarlo a un sueño profundo, y luego lo despertaremos despacio.

Pero los músculos de los brazos de Ulloa-Sagasta se contraen aferrándolo al sillón. Habla sin que se lo pidas.

—¡Nadie os ha dado poder sobre los hombres ni sobre el tiempo! ¡El ardor del Señor hará temblar la tierra, pondrá fin a la altanería de los orgullosos!

Te vuelves hacia Von Hagen porque no hallas palabras para el sueño. Pero él tiene el ceño fruncido. Mira a Ulloa, poseído por Sagasta, con evidente extrañeza. Al otro lado el paciente pugna por incorporarse con un esfuerzo sobrehumano, lo que está a punto de llevarte al terror. Von Hagen se levanta y se sitúa frente a él. Alza las manos lentamente y da una palmada que corta el tiempo desconocido en que navegáis.

—¡Despierta!

¿Por qué no pides ayuda? Ahora que empiezas a

trabajar con Von Hagen podrías hablarle fácilmente de tus problemas, de los huecos en tu pasado, del cadáver de tu madre acribillado a puñaladas, de la necesidad constante de saturar tu organismo con tranquilizantes. Pero es inútil, Beatriz. De nada sirve preguntarse por el modo caprichoso en que las tragedias se perfilan, cuando aún nos parecen imposibles.

V

La finísima lluvia de la ducha arrastra el perfil de las sombras de una pesadilla hasta diluirlas, a la vez que abre tus ojos un poco más. Los sueños son así; no nos dejan historias para relatar, tan sólo frustraciones, deseos, pequeños odios que aflorarán en algún momento del futuro, incomprensible, inevitablemente.

Distraída, estás intentando trazar un esquema aproximado de lo que harás durante este día. Pero sin que lo sepas entorpece tus pensamientos la misma mirada de gato que te persiguió junto a la línea del mar la noche en que llegaste. Esa mirada y el agua resbalando por tu cuerpo lo estilizan, lo dibujan perfectamente en el espacio que ocupas; trazan con sutileza el contorno de tus senos, los nudos flexibles de tus hombros, la llanura pacífica que se extiende por tu espalda: bella como nunca, lo sé. Repugnantemente bella.

Pero esta vez sorprendes la mirada al posar la tuya en el espejo del baño. Diminutos, borrosos por el vapor que se adhiere a la superficie del cristal, brillan los dos ojos tras la hendidura de la puerta entornada, demorándose en algún punto de tu silueta. Cuando estás reconstruyendo la realidad reflejada, entorpecida por el vapor que disipa la perspectiva y da a la imagen del espejo un cierto aire cubista, el espía nota tu repentina inmovilidad y busca una explicación. Hasta que su mirada se une a la tuya en la ficción empañada del espejo.

Gritas algo al mismo tiempo que los ojos desaparecen. Sin pensarlo —no temas, no eres una mujer temerosa; además has leído cierta indefensión y un temor mayor que el tuyo en aquella mirada—, saltas de la bañera y, tomando una toalla del suelo, persigues a la sombra, que mientras tanto tropieza sordamente con los muebles de la habitación. Al abrir del todo la puerta sólo alcanzas a ver el bulto encogido de un hombrecillo escurriéndose por la terraza. Cuando sales te saluda la brisa inundada por la sal del mar. Abajo pasean los locos trazando sus delirantes caminos, que por un instante se quedan grabados en la hierba. No hay nadie en la terraza.

Friederike Bergengruen te recibe con su amable sonrisa; escucha atentamente tu relato, un tanto confuso por culpa de la artificial firmeza con la que lo realizas para intentar ocultar tu vergüenza. Dice que cree saber quién es el espía, lo que está a punto de indignarte aún más. Te pide que te tranquilices y te asegura que va a tomar las medidas oportunas en este mismo instante. Sólo ahora accedes a sentarte en una silla, frente a la mesa de la enfermera. Por el teléfono ella habla con alguien de seguridad requiriendo la presencia de un tal señor Blanch.

—Esperemos que no haya huido. El señor Blanch es un... un hombre desconcertante, pero antes de nada debo decirte que resulta del todo inofensivo. Ya sé que eso no basta. Es uno de los pacientes emblemáticos de esta institución, uno de los voluntarios. Pasa aquí gran parte del año, y aunque tiene acceso libre al exterior pocas veces sale a dar un paseo por el pueblo, en donde va contándole a todo el mundo que es un psiquiatra más del sanatorio, algo que ninguno de nosotros ha querido desmentir.

No quieres mostrarte demasiado enfadada, así que has decidido guardar silencio. Friederike intenta ocupar la espera con más palabras.

—¿Sabes?: de vez en cuando se marcha, y en vez de hacerlo por la puerta sale a escondidas, simulando que escapa. Los guardias miran divertidos hacia otro lado mientras él trepa por la valla o escarba un túnel. Yo diría que se ha convertido en uno más de la casa. Lo que no impide que a menudo se comporte como un verdadero chiquillo y nos ponga en situaciones tan embarazosas como ésta. No te preocupes demasiado, después te entregaré su expediente. En realidad su único vicio es la cleptomanía; además, por supuesto, de esa maldita curiosidad. Un caso convencional. Suele devolver lo que roba. Y, confidencialmente, te diré que sus deseos sexuales no se dirigen a las mujeres, ya me entiendes. No, no; en absoluto.

Unos tímidos golpes en la puerta interrumpen la

cháchara de Friederike. Se dibuja en el vano la figura reconocible del fisgón, que agacha la cabeza al constatar tu presencia en el despacho, sabiendo por qué lo han llamado. Evoca, Beatriz, sus ojos pardos y su admirable cutis rosado, lampiño. Es un hombre de edad imprecisa (el informe le adjudica cuarenta y dos años, pero podrían haber sido quince más, o diez menos); con el poco pelo que conserva, casi totalmente rapado, erizándole el cuero cabelludo; absurdamente vestido con una camiseta plateada en la que hay estampada una cruz negra. Se adelanta evitando tu mirada. Pero tú no puedes apartarla de él, porque esperabas otra cosa, un mozalbete engreído, o un maduro burdo como el doctor Villalta. Se detiene frente a la mesa, a tu lado, algo rígido.

—Señor Blanch —comienza Bergengruen—, mucho me temo que de nuevo haya obrado con indiscreción. Todo el personal del hospital respeta escrupulosamente su intimidad. No veo la razón para que usted no haga lo mismo con nosotros. La última vez que hablamos convinimos en que sucesos de este tipo no volverían a ocurrir. Y ya lo ve: tengo que volver a llamarle la atención. Va a ser una tarea lamentable para mí informar de su comportamiento a mi superior, el doctor Von Hagen, pero no me deja usted otra elección. A no ser que tenga una buena excusa para haber espiado a la señorita Vargas.

Con la cabeza inclinada, Blanch guarda un delicado silencio antes de responder. Al hacerlo va levantando con parsimonia su mirada del suelo, modulando su fina voz, su suave acento catalán. Entre Blanch y los demás se establece siempre un juego ligeramente sensual en las conversaciones: cada gesto debe ser meditado para subrayar la melodía de las palabras. Por supuesto, es él quien impone esa ceremonia. Los que no la aceptan tienen que conformarse con la indiferencia de Blanch.

—Siento haberme dejado arrastrar de nuevo. No tengo ninguna excusa. Pero es todo tan aburrido, en este sanatorio, lleno de locos y médicos sin conversación. Quiero disculparme —tuerce su flexible cuello de gamo hacia ti para plantar sobre los tuyos sus ojos afeminados, pestañeantes, con osadía, hasta el final de sus palabras—, sinceramente, por mi torpeza. Te doy mi palabra de que no volverá a suceder algo así —y entonces sonríe abiertamente, como si hubiera olvidado para qué lo han llamado—. ¡Ah! Acepta este pequeño regalo como muestra de mi afecto. Un vestido fascinante.

De un bolsillo interior de su chaqueta extrae una fotografía que ha robado en tu habitación. Un retrato de hace siglos en el que estás tú, guapísima, con un vestido de flores rosas, de la mano de tu madre. Y al fondo el paisaje que todo ser humano identifica con la infancia o desea para su vejez: una llanura extensa poblada de vez en cuando por un almendro en flor. Sonríes al verlo y le das las gracias.

—¡Tendrá cara dura! —protesta Friederike—. Alfons, Alfons, por favor —añade, al ver que no puedes evitar reírte de su artificial inocencia—: lo que quiere la señorita Vargas es que la dejes en paz. No me queda más remedio que hablar con Von Hagen.

—No, no es necesario —vuelves ahora tú la mirada hacia Blanch, puesto que su actuación y el robo inútil han hecho que tu orgullo se desvaneciera, y también porque la idiotez de Blanch es contagiosa: de pronto estás casi contenta de haber representado ante él tu pequeño papel en la ducha—. Me conformo con la promesa de que no volverá a suceder.

—Querida —se apresura a deletrear afectadamente él, inclinando su torso dúctil hacia ti—, eres más encantadora aún de lo que esperaba. Me llamo Alfons —su mano recoge flácida la tuya mientras inclina la cabeza un poco, sin llegar a besarte los nudillos—. Tenemos tantas cosas que contarnos. Te prometo que mi amistad no te defraudará. Y te invito a cenar, en señal de arrepentimiento.

—De acuerdo. Pero no hoy —has dicho riendo, acercándote perezosamente a la realidad—. Tengo demasiado trabajo. Un día de éstos.

—¿Conoces el cementerio? ¿Conoces las rocas de Cap de Creus? Ten en cuenta que he trabajado de guía en esta zona durante varios años. Seré, si quieres, un esclavo para ti.

Después de despedirse con una leve reverencia, Alfons Blanch se retira. Ahí quedas tú, con la fotografía en la mano. Pendiente de tu madre, que te mira sonriendo feliz desde el pasado.

INTERLUDIO

POR LA PUERTA QUE SE entreabría asomó el perfil aviejado de Friederike Bergengruen. La amplia estancia del pabellón tercero se hallaba en una penumbra incómoda para aquella mujer. Imaginó que Villalta estaría sentado a su mesa, y hacia ella se dirigió, en tono de disculpa.

—Perdón, no quería interrumpir...

—¿Dónde está esa maldita enfermera? —Friederike dio un respingo: la voz de Villalta había tronado desde el otro extremo de la estancia, imprevisiblemente—. He dicho que no me molestara nadie. Así es imposible.

Maldiciendo a sus anchas, Villalta se levantó de un brinco de su silla giratoria, que con la inercia continuó rodando sola por la estancia como un pavo decapitado. Encendió la luz y se quedó mirando fijamente al rostro de Friederike. Tenía un brazo en cabestrillo. Entonces ella pudo ver a Beatriz, al fondo, sentada cómodamente en un sofá, con los ojos cerrados y en trance. Una sonrisa inclasificable apuntaba en su rostro, y sus brazos apretaban una muñeca con el cabello rubio semidesmochado.

—Ha venido el profesor Sánchez Galiano; le han dado el alta en el hospital —dijo Friederike, sin pestañear ante el gesto amenazante de Villalta—. Está hundido, y se empeña en que ella ha muerto. No sabía qué hacer. Lo mejor es que la vea.

—Pero ¿no ves que estoy con ella? Ahora no puedo despertarla. Todavía tengo para un par de horas —Villalta acabó la frase con un quejido de dolor. Había agitado el brazo sano, para subrayar vehementemente sus palabras, y los puntos de la otra herida, la más dolorosa, en el pecho, le habían arañado la carne, para advertirle.

—Deja que pase, Villalta. Le va a dar algo, al viejo. Sólo un momento y nos vamos.

Sin esperar respuesta Friederike desapareció y volvió a aparecer arrastrando a Sánchez Galiano. El viejo saludó como ido, sin levantar siquiera la cabeza. Se había encorvado considerablemente, su espalda; parecía que hubiera pasado toda una década de decrepitud sobre ella, pataleando, en vez de un puñado de semanas. Llevaba un bastón para apoyar la pierna que había herido la bala, y arrastraba los pies como si ya perteneciera a la clínica de reposo; no a su plantilla, desde luego. Se dirigió hasta donde Beatriz estaba sentada, y se quedó frente a ella, babeando. Su cuerpo se tambaleó torpemente unos instantes, allí, de pie, y se desplomó sobre el sillón giratorio, justo en el momento en que Friederike se lo acercaba.

—Pobre pequeña —le pareció oír a Villalta—, duerme como un ángel.

—Menudo angelito —replicó el doctor, para hacer la

gracia delante de Friederike. Pero el profesor Sánchez Galiano no escuchaba. Se había quedado encandilado frente a la joven.

—Hace siete años —continuó el viejo—, cuando entró por primera vez en mi despacho, era sólo una niña. Nos embaucaba a todos, con esa forma de plantarse delante de ti. Parecía que iba a comerse el mundo.

—Me voy a echar a llorar, como cuente sus técnicas para ligar con las alumnas —comento impacientemente Villalta, pese a que la mirada con la que Friederike recibía sus palabras no era ni mucho menos de complicidad.

—La culpa es mía —dijo entonces el profesor Sánchez Galiano, a modo de conclusión científica—, por haberle pedido que viniera.

—Sácalo de aquí o lo echo yo a patadas —exclamó al fin Villalta, harto—, y dale algo fuerte, a ver si duerme una semanita.

Friederike se resignó, una vez más entre otras mil, ante el discurso chabacano de su superior. Tocó el hombro de Sánchez Galiano y se inclinó para murmurarle algo agradable al oído. El docto anciano tardó un millón de años en cruzar la estancia de regreso, a juicio de Villalta.

Cuando otra vez estaba solo, con la chica, el doctor encendió un cigarrillo y volvió a sentarse frente a ella; e impostando de nuevo la voz (esa voz ajena, creía, a su propia personalidad; una voz de nadie que surgía del fondo de su estómago), como solía en sus sesiones, remontó su discurso cansino, dispuesto a quedarse allí hablando toda la vida, si era necesario.

SEGUNDA PARTE

Los pasos de la duda

I

QUÉ HABRÁ, BEATRIZ, DETRÁS DE tu sonrisa, cuyos rasgos no son simplemente imbéciles. Detrás,
hundidas al final de tu garganta, quizá bullen tus
entrañas en un desgarramiento único. Otras veces has
sentido esa crepitación interna, convencida de que forma parte de una regeneración total de tu cuerpo y,
a través de él, de tu espíritu, fugaz pero evidente en
su propia inquietud. De esa combustión fabulosa no
nacerá un ser nuevo, desgraciadamente, Beatriz, sino
otro camino visionario, otro tormento falaz para minar
tus entendederas. Hasta que seas pasto de la nada.
Un ente innombrable en algún lugar del torbellino del
caos.

Pero tú, baja a la caverna confortable del descanso.
Traspasa los días como blandas hojas borrosas de un
cuaderno antiguo. Uno, dos, tres, cuatro días. Una semana
y otra semana. Atrás queda la barahúnda de las horas
pobladas de precisión. ¿Y qué es un instante sino una

combinación inesperada de objetos y seres inapreciables en un entorno fugaz? Baja, baja a la morada en la que jamás penetra el sol, a los pasillos húmedos que cruzan como sombras el camino de la realidad.

Perdida entre otros pobladores atraviesas un remedo del segundo pabellón, el más vital y atolondrado, con su habitual trasiego, pero ahora representado económicamente por medio de filas de hombres cuyos rostros han sido conformados por el capricho emulsor de una memoria sin objeto.

En el centro de la sala, sentados, enfrentados en los extremos de una pequeña mesa de madera, juegan al ajedrez dos hombres a quienes en nada afecta el desfile de personas a su alrededor. Cada paso te dirige hacia ellos en molestos rodeos. Cuando llegas, sus cuerpos se perfilan, desde los bultos que eran, hasta formar el generoso corpachón de Von Hagen y la silueta afeminada de Blanch, que sostiene un alfil blanco en la mano izquierda y medita antes de colocarlo al final de una interminable sucesión de cuadros blancos, lejos del hueco inicial, por entre los rastros de las piruetas de un caballo negro y el torpe arrastrar de pies de los oscuros peones.

—Nadie tan solitario como un alfil blanco, querida; nadie tan ambiguo.

Blanch ha hablado sin mirarte. Estás lamentando la posibilidad de que no te haya reconocido. «Soy yo: Beatriz», querrías decir; «la jovencita por cuya espalda resbalaba la espuma cándida del jabón.» Pero Von Hagen, que tiene al rey semiahogado por la vigilancia lejana de dos torres, lanza una risa cansina y atrapa el alfil. Lo sustituye por la boca crispada y la crin ondulante de su caballo.

—Ahora ya no es solitario ni ambiguo —dice arrojándolo en la caja—. Fuera del tablero no es un alfil, sino un muñeco sin sentido, abandonado entre otros.

Blanch extrae de un bolsillo de su chaqueta un tosco bulto envuelto en hojas de periódico arrugadas y te lo ofrece.

—Lo encontré en el jardín, entre la arena del camino. Creo que es tuyo.

Recoges el paquete, buscas la mirada de Von Hagen, que está fija en tus ojos, cargada de reprobación; y preocupada escondes el bulto en tu espalda.

—No sea tímida —Von Hagen esboza un gesto de cariño—. No hay nada que temer. Ábralo, se lo suplico.

Despacio desenvuelves las hojas que conforman el paquete y las dejas caer a tus pies. Las últimas están húmedas y calientes por el contacto con un bulto que intuyes animado por una ráfaga de vida, como si fuera un ratón acurrucado. Blanch y Von Hagen sonríen alegres e impacientes. «¡Sorpresa!», ha dicho Blanch cuando todavía flota en el aire la última hoja de periódico. Entre las manos tienes un corazón dilatándose y contrayéndose en latidos acogedores. Está manchado de arena.

—No puede ser el mío —has afirmado bastante confundida—. El mío lo tengo aquí —y te llevas inocentemente la mano al pecho, debajo de tu seno izquierdo, apretando las costillas en vano para reconocer el latido de tus entrañas.

—¿Estás segura? —pregunta Blanch—. Hay que ser muy joven para olvidar en cualquier parte el corazón. Muy joven y alocada, querida.

No es el sol lo que te despierta, cálido sobre tus párpados, sino un ligero decaimiento de su brillo producido por la sombra de un cuerpo que no consigues identificar al principio, aún con el tacto esponjoso del corazón acariciando las palmas de tus manos. Von Hagen se disculpa. No quería despertarte, sólo comprobar que eras tú efectivamente quien dormía ahí, en la solitaria cala de la clínica. Con ese pelo no te reconocía. Un tono precioso.

Te incorporas hundiendo un brazo en la arena y pasándote la mano por la melena roja, bastante más corta. Hacía tiempo que querías cambiarte el pelo de color.

La playa está en silencio. Von Hagen, inadecuadamente vestido en esas horas de calor, se sienta a tu lado, y establecéis una conversación rutinaria sobre el trabajo. Tú te hallas preocupada con el mal concepto que, estás segura, tiene de ti el doctor Zabala.

Von Hagen sabe que Zabala es un hombre achacoso. Sin embargo, sigues con él porque conoce como nadie los entresijos de la clínica. A Von Hagen le preocupa más otra cosa. Es verano. Sabes que puedes invitar a familiares a pasar unos días en la residencia. Ya llevas aquí dos meses. Y sin embargo nadie ha venido a visitarte y tú no has salido en ninguno de los fines de semana libres. Von Hagen se imagina que no quieres abusar al principio, que esperas a llevar algún tiempo instalada para disfrutar de las mejores cláusulas del contrato. Pero en realidad no estás a prueba. Has sido plenamente admitida en la clínica por el equipo directivo. Tu continuidad sólo depende de ti misma. Si te encuentras a gusto permanecerás, y si no abandonarás. Y quizá sea necesario combatir el aislamiento del lugar con un contacto exterior. Alguien, un familiar; tus padres, si los tienes...

—No, no tengo padres.

Has dicho esas palabras un poco avergonzada por turbar la amable conversación que Von Hagen estaba entablando. Verdaderamente no tienes padres. Una frase así conmueve a cuantos la pronuncian, aunque sean huérfanos ancianos, hombres abyectos, frías máquinas. Y sin embargo tú pareces más preocupada por sus efectos sobre tu interlocutor que por la marea que se alza dentro de ti.

No tienes padres. Le sueltas a Von Hagen una historia falsa que inventas sobre la marcha. En otra tarde lejana tus padres se desplomaron por un acantilado, a bordo de un coche negro cuya imagen dices conservar en algunas fotografías manoseadas. Le explicas al director, quien te ha entregado una frase de condolencia, que no tienes familia, que hasta ahora has sobrevivido gracias al dinero de un pariente lejano y generoso, pero no tanto como para recibir los dibujos de la niña; las postales, las cartas de la adolescente. De pronto, ese familiar también murió hace unos años; te dejó algo para acabar la carrera, y la libertad de carecer de deudas y raíces. Una sensación que fue creciendo contigo y ahora resulta tan placentera como una casa en la que hubieras pasado la infancia, en un pueblo remoto de la montaña, rodeada siempre del cariño de los' tuyos.

La infancia nunca fue, en realidad. La construimos poblándola de seres adorables, de enfermedades, de regalos. Pero tú no has hecho como todos: no has inventado una historia plagada de detalles nimios que trace a duras penas el incierto recorrido hasta el presente, hasta el día en que, nerviosa, entraste en la clínica con tu pequeño, llamativo coche rojo. Por eso, aunque te produce un enorme placer parlotear frente al director acerca de lo primero que se te pasa por la cabeza, tu propia cháchara te va enunciando ciertas inevitables preguntas: «¿No tengo una madre por ningún lado?», «¿qué hay de mi infancia?» Intentas ordenar algunas imágenes. Desde luego recuerdas la fotografía que robó Blanch. No quién la disparó o en dónde, pero es indudable que estabais allí, ambas, sonriendo como dos bobas. Luego están esos recortes de periódico que llevabas en la maleta al llegar, con fechas de hace veinte años: en ellos aparece con todo detalle cómo tu madre, Elena María Vargas Duval, fue asesinada, cosida a puñaladas una noche. Las fotos de su ceremonioso entierro amarillean ya, junto a la historia trenzada por las revistas del corazón sobre su relación con cuatro hombres. Elena Vargas Duval era hija del marchante de pintura Andrés Vargas, marqués de Peñarroya, y de la bailarina francesa Madelein Duval, conocida en el mundo parisiense como «Madame Cauchemare», musa de artistas de la talla de Picabia o Man Ray. En algunas de esas revistas aparece la información de que, como madre soltera, Elena dejaba una hija que había heredado sus apellidos (y algunos de los afilados rasgos de la cara de la línea maternal de la familia, a juzgar por las fotografías que Man Ray hizo de tu abuela): Beatriz Vargas Duval. Tú. Pero de quien no hay ni rastro es del padre. Tu madre presumía en las entrevistas de no saber a ciencia cierta quién era. «Habrá una docena de posibilidades», decía, divertida con el escándalo. Es todo lo que sabes. Y basta, te dices meneando la cabeza.

Está claro que resulta decepcionante perder a los padres en la infancia. Porque uno debe pisarlos para convertirse en adulto. Y si no tenemos a los progenitores nos dedicamos a pisar a cualquiera que se nos acerque. He aquí, quizá, la raíz de tu desprecio por todo el mundo. Incluso por ti misma.

Pero jamás comprenderé por qué no habrás dejado caer los brazos ni una sola vez, para volverte hacia cualquiera de los médicos y decirle por fin que estás enferma, que de entre todos los perturbados a los que se trata aquí tú eres la más desorientada, que tu pasado se está borrando sin que puedas hacer nada para detener ese proceso.

Nunca se sabe cuál es la forma en la que alguien

intenta pedir ayuda. Durante toda tu vida tú lo habrás hecho, con cada uno de tus movimientos, con tu misma trayectoria profesional que te traía aquí. Ignorada por tus profesores, primero, y luego por tus colegas. Mientras, el vacío iba abriéndose paso en tu interior.

Von Hagen sabe, como tú, que estamos hechos de pérdidas. Tras tantos años escuchando historias en un sanatorio, reconstruyendo algunas, inventando otras para crear la ilusión del pasado, indispensable en el ser humano, reconoce que cada una de ellas es una sutil tragedia cruzada por un hombre débil y carente de virtudes, que pocas veces realiza el afán común de convertirse en un mero espectador de los sucesos.

Pero él cree tus palabras. Acepta la sinceridad forzada en tu rostro. Sin dudar ni por asomo, Von Hagen agacha la cabeza y aprovecha para recorrer con una mirada curiosa la línea suave y ondulada que separa tus dos piernas desnudas y juntas hasta llegar a los pies, a los dedos exquisitamente manchados de relucientes granos de arena, como el corazón de tu sueño. A él no le gustan los niños, pero puede perfectamente ofrecerse como padre de una joven como tú: «...es el deseo constante de todos los ancianos», bromea. Y tú ríes sin olvidar ni siquiera un instante que tu cuerpo es un instrumento nada despreciable; te das la vuelta lentamente y cierras los ojos para ofrecer al viejo la posibilidad de contemplar tu trasero empinado bajo el bañador azul. Desearías un cuerpo pesado oprimiéndote la espalda. No el cuerpo grueso de Von Hagen, sino otro; el cuerpo de un hermano inexistente, musculoso, que fastidiara a su hermana pequeña en juegos demasiado masculinos. Un estúpido hermano al que gritar.

Descalzos, embobados, con las sandalias pendiendo de sus manos arrugadas, dos ancianos caminan con dificultad, cogidos de la mano, frente a vosotros, siguiendo una imaginaria línea que borran y borran las tenaces lenguas de las olas.

Estás sumergida en el bullicio de una calle comercial de Cadaqués. En la puerta de una floristería te has detenido ante un cubo de plástico verde rebosante de margaritas. Inclinas el torso para oler la fragancia que te remonta a días perdidos de la infancia; a un ramo enorme en un jarrón de cristal glauco. Intentas recordar, pero no hay un aparador para el jarrón. No hay una sala para el jarrón. No oyes los pasos y el canto de tu madre por la sala, en el entorno de un jarrón que está aislado del mundo, detenido en algún instante de tu vida, rodeado de vacío.

Distraída caminas mientras atardece suavemente sobre el pueblo. Alguien te toma del brazo y detiene tus pasos.

—Las margaritas son para las niñas buenas, y me temo que hay en ti algo de perversa, ahora que te has teñido el pelo con el color de los traidores. ¿O se trata de un error, de las engañosas apariencias?

Blanch extiende hacia ti un ramo de margaritas ligeramente humedecidas. Sonríes encantada. Él te recuerda la promesa de aceptar su invitación. En realidad no tienes nada que hacer. Os sentáis en una terraza de la bahía.

Reconstruye el sabor ligeramente ácido del vino de Perelada. Con delicadeza, sabiéndose observado, Alfons escoge un bígaro, y con un alfiler urga en sus entrañas, deteniéndose a contemplar el hueco curvo de la concha, antes de depositar la carne blanda sobre sus labios gruesos, semiabiertos.

—Dime la verdad —pides maliciosa—: ¿no deberías estar en la clínica? Te has escapado.

—Sé que me guardarás el secreto: yo me escapo cuanto quiero. De momento no parecen preocuparse demasiado. Pero es mejor no removerlo. Hoy eres libre y mañana estás encerrado para siempre en una espantosa celda.

—Yo también me escapaba del colegio descolgándome por un balcón. Pero la angustia ante la posibilidad de que me sorprendieran me hizo desistir.

—Sin esa amenaza la vida sería un aburrido serial, ¿no crees? Pero sigue. Háblame de ti, y de nuestro doctor preferido. Sé que se te acerca a hurtadillas. Os he visto esta tarde... alternando en la playa como dos tortolitos.

Ése es el precio de la amistad con Blanch: provoca en los demás la sensación de estar siendo espiados. Hace que nos sonrojemos como niños mentirosos.

—No te preocupes —continúa—, no es exactamente mi tipo. Hace algunos años, quizá; pero ha envejecido fatal.

Blanch, impertinente y adorable, siempre logra el ambiente necesario para las confidencias. Ahora más que nunca parece una amiga íntima y divertida, mientras sorbe un trago de vino sosteniendo la copa como si fuera a estallarle de pronto en la cara. Pero hasta este mismo momento no te has detenido a pensar en Von Hagen. No has imaginado el áspero tacto de su barba en tu mejilla, la palma de su mano ahuecándose contra tu pecho. Imágenes que la mirada nerviosa de Blanch crea en tu mente al buscarlas hurgando a través de tus ojos. Le pides que te hable de Von Hagen. Que te cuente cómo y cuándo lo conoció.

—Me matas de celos. Es una historia aburridísima. Vine aquí a visitar a un pariente enfermo, y me gustó tanto el sitio que me quedé. Entonces había menos gente en la clínica. Sólo tenía algo más de un año de existencia. Pero ya sabes: basta con abrir un psiquiátrico para que salgan los locos de debajo de las piedras. Todavía no habían acabado de construir el pabellón segundo, y el tercero era una explanada.

No te lo imaginas. Intentas crear la vista de la playa con uno de los edificios mutilado. Pero para ti han estado siempre ahí los tres.

—Emile estaba casado con una harpía, y terriblemente enamorado de ella, para su desdicha. Se llamaba Mónica y también era psiquiatra. Mónica lo monopolizaba totalmente. Hace unos años murió. Te evito esa historia tan desagradable. Y desde entonces está así, perdido con sus trabajos y sus alucinantes teorías médicas. No entiendo cómo no viene alguien y lo encierra en su propia fortaleza. Y tú debes de haberle impactado, sí, sí, no te rías. Lo digo porque tus ancas son las únicas en las que se ha fijado desde entonces, que lo he visto esta tarde concentrado en ellas como un halcón volando en círculos sobre una paloma. Pero qué digo, vas a pensar que te quiero poner los dientes largos. No, hija, que a una todavía le faltan unos añitos para hacérselo de tercera.

»¿No me digas que no conoces su teoría de la memoria y el futuro? Claro, imagino que en la universidad os ocultan esas cosas para que sigáis estudiando. Sabrás inglés. Creo que hay una traducción al inglés de su obra en la biblioteca. Se llama *Teoría del preterconsciente en una concepción modular de la inteligencia,* o algo peor.

»Claro, yo no soy el más indicado para juzgar un texto de este calibre, pero el librito viene a decir que en una zona de nuestra mente, a la que Emile llama así, *preterconsciente,* se ocultan datos sueltos de nuestro futuro, como en la memoria los de nuestro pasado, nada menos. Sí, sí: un rastro muy sutil y, por lo que dice, bastante equívoco, que el gran Von Hagen lee y descifra como Pedro por su casa, a base de dejarlo frito a uno mirándolo a la cara. Como si fuera a extraerle el cerebro por los ojos.

»En realidad, cuando quise leerlo, lo único que entendí del libro fue la introducción. Eso de: "Agradezco a la editorial la oportunidad de divulgar unos conocimientos que bla, bla, bla." Lo demás me pareció un aburridísimo cuento de terror intelectual, por llamarlo de alguna manera. Un montón de historias clínicas rocambolescas para ilustrar la dichosa teoría. Aunque algunas tienen su morbo.»

Sonríes ante Blanch, el maldiciente, y juegas con el último de los bígaros en la boca, presa de la alegría somnolienta del vino.

—De verdad, querida: un verdadero ladrillo —concluye Blanch entusiasmado con tu complicidad—. Eso sí: deberías pedirle a nuestro doctor que te hipnotizara. Pero si lo hace no te entusiasmes demasiado: desgraciadamente no aprovecha sus maléficos poderes para abusar de las pacientes. Lo que practica en realidad es una posesión mental, menos cochina de la que estabas imaginando. A todos nos viene bien abandonarnos durante un ratito.

Abandonarse. Descansa por un momento en el hueco confortable de esa palabra. Abandonarse con el vahído del vértigo en la garganta, en un salto irracional pero previsto. Entonces le cuentas a Blanch tu experiencia como hipnotizadora de Ulloa-Sagasta.

Él disfruta con tu presencia. Siempre ha utilizado el lenguaje, indiscriminadamente, como un arma de seducción, acorde con su extravagante aspecto. Tú ya estás rendida a su cháchara de nuevo. Le pides que te cuente adónde va cuando abandona la clínica. Blanch inventa viajes e idilios lejanos: un joven griego harto del amor que le piden las turistas nórdicas, en la isla de Míconos, tras la barra de una taberna llamada «Hipocampo»; un tímido caballero, funcionario del consulado francés y travestido en los espectáculos nocturnos de varios bares de copas de Tánger; una pintora canadiense, cocainómana vocacional, instalada para siempre en un lujoso hotel europeo de Ammán. Con él vagas por un mundo anacrónico e íntimo que conforma inspirándose ágilmente en el sabor del vino y de los bígaros.

II

—Con determinación caminas hacia la mujer, que tiembla detenida, mirándote a los ojos sin poder esconder su horror.

—Ella es hermosa como una paloma acorralada. Los dos sabemos que va a morir.

La interrupción de Stefanini ha vuelto a desconcertar a Von Hagen, que suda demasiado en aquella sesión.

—Estás a su lado, Alessandro. Notas su respiración inquieta. La amas. Dime el nombre del cadáver que acabas de sortear. Una seña. Su edad. Su estatura. Algo.

—La amo porque su espalda es un junco quebradizo, porque no me pertenece, porque es mortal.

—Deja eso ya, Alessandro. Relájate. Ahora vas a descansar, vas a quedarte dormido poco a poco. Imagina un lento atardecer en el horizonte limpio. Imagina una mano apretándote con fuerza la nuca. Duerme.

Con los ojos cerrados, acompañando el rumor suave de la voz de Von Hagen, Alessandro ha alzado lentamente el rostro dirigiéndolo hasta el techo. Después su cuello se ha ido inclinando con un movimiento que concluye en una cabezada brusca. Von Hagen se pasa la mano por la frente echándose el pelo hacia atrás. Está cansado. Quizá esa noche tampoco haya dormido. Se levanta y busca la ventana para abrirla. Desde fuera entra el rumor tenaz del agua. A lo lejos la estela de un barco brilla entre la masa gris plomiza del mar.

—¿Algún problema? —preguntas.

—No sé qué ocurre —dice Von Hagen siguiendo con la mirada el curso del barco en el horizonte—. Stefanini se entromete en la terapia. Sin duda posee una voluntad poco común. Se me van de la mano las sesiones.

—Pero no entiendo —Von Hagen esperaba que dijeras algo así; se ha vuelto hacia ti, aliviado, animándote a proseguir con la mirada—. No entiendo qué busca al hacerle revivir el momento en que mató a su mujer. Él es consciente de que lo hizo, de eso estamos seguros. Lo recuerda perfectamente.

—Mire en su pasado, Beatriz. Está grabado en la piedra, inevitable. Usted puede olvidar, reinterpretar, falsear, pero no puede cambiarlo. ¿Por qué nos parece el futuro tan abierto? Sin duda porque estamos aferrados a nuestro punto de vista. El día de mañana se nos presenta oscuro, voluble. Cuando se haya convertido en ayer estará inmóvil ya para siempre. De eso parece concluirse que el presente es un mal sitio para mirar las cosas, solamente.

Von Hagen no sabe que tu pasado es un enjambre inconexo de escenas borrosas. Sus palabras te aturden. Pero, como siempre, evitas hablar de ello.

—¿Y de qué nos sirve eso? De cualquier forma lo que estamos haciendo es obligarlo a revivir ciertos momentos.

—No. Yo no intento que Stefanini reconstruya su pasado. Eso lo puede hacer muy bien Villalta, por ejemplo, que trabaja con la memoria. Debería ver su terapia. Villalta es un hombre desagradable, lo sé. Pero también es un profesional excelente: él se ocupa de cubrir los olvidos. Todos hemos olvidado algo. A veces, involuntariamente, hemos olvidado piezas importantísimas del rompecabezas con el que recomponemos nuestra vida intentando darle sentido. Villalta crea las piezas que faltan con sus manos. Quizá no sean las originales, pero encajan perfectamente en el hueco que dejaron, y entonces es posible componer el puzzle, reconocer nuestra imagen. Pero eso, usted lo ha dicho, no lo necesita Stefanini.

—Y nosotros, ¿qué hacemos?

—Nosotros hacemos algo parecido. Estamos reconstruyendo sucesos del futuro de este hombre.

No vas a discutir eso, ¿verdad, Beatriz? Tras la conversación con Blanch leíste el texto de Von Hagen, cautivada por la precisión de sus argumentos, por el tono irrefutable de su exposición; pero convencida de que sólo un loco podría utilizar esa filosofía como punto de partida para una verdadera terapia.

—Eso no cambia las cosas. El pasado es importante para descubrir la etiología de lo que nos ocurre, estoy convencida, como el futuro, si fuera asequible, para descubrir las consecuencias. Pero hallar las causas es sólo un punto de apoyo para curar, no es en sí una terapia. Y a veces es tan complicado encontrarlas que resulta mejor prescindir de ellas. Y no sé por qué no habría de pasar lo mismo con las consecuencias. Aunque supiéramos qué va a ocurrir, ¿qué avanzaríamos?

—No es cuestión de prevenir las consecuencias. En algún tiempo yo pensé que sí. Tendemos a creer que somos libres. Mi forma de pensar y actuar gira en torno a esa premisa, que sigo considerando válida, pese a todas las evidencias.

—¿Entonces?

—Primero reconstruimos el futuro. Luego intentamos que el paciente pase a asimilarlo como algo perteneciente a su pasado, que su inconsciente se convenza de que ya ha ocurrido, sin traumas, para que deje de dirigirse hacia él; para que deje de buscarlo. El futuro, visto así, es un motor imparable: debe suceder. Y sin embargo existe la posibilidad de moverlo, de trasladarlo al pasado, de incluirlo tanto en el consciente como en el inconsciente de los pacientes. Si un hombre sabe que ya ha realizado ciertas cosas, dejará de procurarlas, las despreciará como se desprecian los logros y los fracasos una vez cometidos. Es un efectivo juego de ficción que emerge en la realidad, una añagaza que evita el destino.

—¿Y qué hace la mujer muerta de Stefanini en su futuro?

—No. La mujer que ve Stefanini no es la esposa que mató; es una mujer a la que matará. Alguien a quien quizá aún no conoce. He obtenido esa figura incierta de su futuro, de las huellas grabadas que el futuro deja en su mente. «Huellas», Beatriz. No son huellas, pero no encuentro una palabra mejor. Y lo que me preocupa es la indeterminación con que está grabada esa escena. Hay otros cadáveres. Yo mismo estoy ahí, como un fantasma. Pero no hay nombres, ni condiciones. Algo me impide saber. Probablemente mi inexperiencia. Mis propios complejos y temores se interponen.

—Por Dios, Emile. Todo esto es un disparate.

—Lo sé muy bien —dice él volviendo a ocuparse del recorrido del barco en alta mar—; pero no deja de ser. Y ya me he equivocado suficientes veces. ¿Recuerdas a Patricia Lido? Stefanini y ella se conocieron en unas sesiones de terapia en grupo. Patricia se enamoró de él. Un amor patológico. Creí que ella sería la víctima que aparece en el futuro de Stefanini. Y estuve trabajando con ese prejuicio dos meses. Cuando me di cuenta del error ya era demasiado tarde. No pude evitar el suicidio al que Patricia en realidad estaba abocada.

Y entonces un ligero estremecimiento recorre tu estómago. No lo ves, no lo sabes: detrás de ti Stefanini abre levemente un ojo, atento a vuestra discusión.

III

—Tiene pinta de ir a derrumbarse al primer apretón —has dicho, refiriéndote al jovencito que sirve las copas de un lado a otro aprovechando para exhibir los brazos, el pecho abultado e hirsuto, enmarcado en los tirantes de una camiseta.

Friederike lanza una carcajada. Saboreas despacio la seguridad de estar menos borracha que ella, pese a que a las tres copas que lleváis tu añades una dosis no pequeña de artane. Y además has solucionando de un plumazo la conversación demasiado rígida que todavía manteníais. Desde los altavoces de este bar nocturno emerge frenético el ritmo de otra canción. Friederike bebe un sorbo y deja el vaso con desgana; el líquido se desliza en la espiral de un ligero remolino interno con el que los hielos se acomodan uno sobre otro.

—No sabes cuánta razón tienes —contesta ella—. Sí, lo conozco. Antes yo me lo pensaba menos. Tenía en la cabeza la consigna «Vive más deprisa». Bueno, me creé bastante mala fama, y eso me trajo algún problema. Pero, ya sabes, igual que aprendes a meterte en líos, aprendes a salir de ellos.

Friederike mira entonces por encima de tu cabeza y hace una mueca de disgusto. Te das la vuelta. Allí, de pie, está el doctor Villalta, con su semblante artificioso, que amaga con esconder y luego muestra descaradamente el sarcasmo.

—Muy bien, Friederike. Veo que le estás dando a nuestra joven doctora unas lecciones para desenvolverse en sociedad. Libráis mañana, ¿no?

—¿Y a ti qué te importa si libramos o no libramos?

Villalta ríe y toma una silla de otra mesa para

sentarse con vosotras. Ninguna de las dos se mueve, así que tiene que dar un rodeo y colocarse en el otro extremo de la mesa.

—No, si me da igual. Sólo que al veros he pensado: «Mira por dónde, pero ésta se puede convertir en una fantástica noche de juerga.» Os propongo lo siguiente: nos tomamos un par de copas más de... de lo que estéis bebiendo, y luego nos vamos los tres a darnos un chapuzón y un paseo por la playa. ¿Qué tal?

—Desaparece, Villalta.

—Vaya, qué humos. Estás envejeciendo mal, Friederike. Cuando cumplas unos añitos más no va a haber quien te aguante. ¿O es que ya tenéis plan para esta noche? Sea el que sea, con Friederike, te recomiendo que lo lleves a cabo —ahora Villalta se dirige a ti, sonriente, como si intentara apaciguar su desagradable pedantería—. Y ya sé que no sirve de nada mi opinión, pero no dejes que se beba la quinta copa. Si no, tendrás que llevarla en brazos hasta la cama. Aunque mirándolo bien, ese tampoco es un mal plan.

Friederike se conforma con un insulto desganado. Sin esperar a oírlo, Villalta se ha levantado y camina con parsimonia hacia la barra.

—Por cierto —casi grita volviéndose—: te queda muy bien así, el pelo.

—Me imagino que no necesitas el consejo. Pero mantente alejada de Villalta. Es una rata —exclama Friederike cuando el doctor ya no la oye, y bebe despacio de su whisky.

Ya lo sabes, no hay más que verlo. Le cuentas a Friederike tus encuentros con él, evocas la frase que pronunció al conocer el suicidio de Patricia Lido, el desprecio con que habla de Von Hagen a sus espaldas.

—Y sin embargo, él idolatra a Emile, que le ha enseñado todo —afirma Friederike—; pero es incapaz de reconocerlo. O mejor: lo reconoce así, con ese torpe odio al referirse a él, engrandeciendo cada uno de sus defectos.

«¿Cómo murió su mujer?» Ésa es la pregunta. Buscas una forma discreta de plantearla. Hablas de la tristeza de Von Hagen, de su desánimo, de su enclaustramiento voluntario tras la verja de la clínica. Pero Friederike evita el tema. Generaliza. Recuerda cómo la personalidad de quienes trabajan en la clínica va cambiando. Ella misma ha cambiado. Antes salía, como este día contigo, mucho más a menudo. Al final tienes que pronunciar las palabras. Y enseguida te arrepientes. «¿Cómo murió su mujer?»

Friederike reconstruye entonces, algo tocada al hablar, la historia de amor de Von Hagen. A Mónica le diagnosticaron una enfermedad habitual e imparable, y durante algún tiempo vivió abandonada a su destino mientras él intentaba inútilmente distraerla. Parecía mentira que un médico hubiera aceptado de tan mala forma el avance de la naturaleza. Lo cierto es que Von Hagen nunca llegó a asimilar la realidad de aquella imposición, pese a que la degeneración del cuerpo de Mónica resultaba evidente día a día. Hasta que al fin contempló el cadáver lógico de su esposa. Esa visión transformó al doctor, que entró en una depresión de la que se negó a salir por medio de la química. Decidió habituarse a su nuevo estado, convivir con él como un inválido arrastrando una pierna tullida. Friederike no sabría decir cuánto tiempo lleva sin tomarse unas vacaciones. Además, de vez en cuando se destapa su mal humor, antes impensable.

Sentada en las escaleras que rodean el hueco del ascensor, Friederike hace esfuerzos por sostener erguida la cabeza bamboleante. No puedes con ella. Ha comenzado a subir fingiendo estar serena. En el primer piso se ha detenido con un ataque de risa. En el segundo ha llorado desconsoladamente. Ahora quiere dormir, quiere volver a vomitar pero no tiene nada en el estómago. Cada vez que habla grita demasiado, y temes que alguien aparezca y la vea en este estado. Con todas tus fuerzas la levantas y dejas que descargue el peso de su cuerpo sobre el tuyo. Asciendes en diagonal un tramo de escalones hasta apoyarte en la pared; luego hacia el lado opuesto, y consigues asir el pasamanos antes de que ella se desplome. Entonces eres tú la que no puede aguantar la risa, que contagia de nuevo a Friederike.

Habéis llegado, por fin, frente a la puerta de su habitación. Le pides las llaves. Ella remueve los objetos del bolso sin mirar. Obtiene un pintalabios dorado, lo alza, lo contempla extasiada y vuelve a romper a reír entre toses. Buscas tú, palpas un manojo de llaves, lo atrapas y comienzas a probarlas en la cerradura.

Bajo la colcha blanca se recorta el cuerpo borracho de Friederike Bergengruen. Estás harta de descalzarla, de desabotonarle la camisa, de pelear con la cremallera de la falda, de enrollar las medias de color crema en torno a sus piernas. Vas a irte.

¿Qué haría un hombre ahora? Un hombre se introduciría bajo la colcha despacio, tocaría los hombros de Friederike hasta escuchar un breve quejido o un cambio brusco de respiración. Después comenzaría a besarle la espalda, atraparía sus pechos blandamente primero, y luego con furia, hasta despertarla. Y en ese momento, por fin, un hombre comenzaría a abofetearla, a insultarla. Ella probablemente lloraría entre la rabia y el placer.

En la penumbra del cuarto casi te gustaría ser un hombre para tratar cruelmente a Friederike.

Antes de entrar a tu habitación te ha parecido distinguir un destello de luz al final del corredor, quizá en la sala de la televisión haya alguien todavía. Con paso decidido te acercas hasta allí. Al abrir la puerta tomas aire para despejar un poco más el aturdimiento del alcohol. Dentro, Von Hagen está fumando un cigarrillo sentado en un sillón. Se sorprende al verte, casi se incorpora, pero tú lo detienes con un gesto de la mano y una sonrisa. Tomas un cigarrillo negro de un paquete que hay sobre la mesa y, con un movimiento que combina la torpeza de la borrachera con el desenfado de una mocosa, te sientas sobre el grueso tablero, frente al profesor, que ya sabe que has bebido. Descuidadamente cruzas las piernas que asoman alargadas desde la falda ceñida de tu vestido negro.

—Bonitas horas para volver —exclama Von Hagen con un guiño de complicidad—. Ha estado con la loca de Friederike. Me alegro de que sean amigas, es una mujer adorable.

Mientras tú enciendes el cigarrillo Von Hagen te da la noticia. Ha decidido que dejes de trabajar con Zabala para convertirte definitivamente en su ayudante, si es que no tienes nada que oponer. Ya lo esperabas, pero prefieres mostrar sorpresa. Abres más aún los ojos, sin decir nada, observando la satisfacción del doctor. Luego le cuentas que ya has revisado la literatura de los otros casos en que se ocupa, pues hasta ahora sólo le has ayudado con Stefanini. Y tienes alguna idea para proponerle.

—De todas formas —comenta Von Hagen paternal— mañana es su día libre. Espero que lo ocupe en descansar. Sobra tiempo.

—¿Y cómo es que usted no está en la cama? Son casi las cinco de la mañana.

Von Hagen sonríe. Se restriega con una mano los ojos un poco hinchados y rojizos.

—No podía dormir, como tantas noches. El insomnio llega a ser algo fructífero. Me provoca un estado especial. Al día siguiente de una noche en vela tengo el cuerpo pesado y la mente ligera. Un estado nervioso cercano a la euforia.

Sonríes. Aplastas el cigarro en un cenicero de plata

que hay sobre la mesa. Así que el doctor se pasa el día durmiendo a la gente y luego él mismo no puede pegar ojo. Al hablar estás exagerando tus gestos de niña, los mismos gestos que tantas otras veces, quizá, utilizaste ante otros hombres. Pero ellos eran más jóvenes: en sus ojos se dibujaba claramente el asombro. Von Hagen no se inmuta. En el fondo de su rostro se percibe su monótona templanza, el sustrato amargo que tiñe habitualmente su expresión.

Te has incorporado lentamente, ocultando la inseguridad que podría perderte. Te estás acercando al sillón en el que está recostado Von Hagen. Después de recorrer la distancia que os separaba con algunos pasos más de los que esperabas te detienes ante él, que ha descruzado las piernas en un gesto por el que asoma un leve conato de nerviosismo. Y entonces te sientas sobre sus rodillas, enfrentada a él. No eres una niña. El bulto de tu pecho bajo el vestido negro lo demuestra. Eres una joven borracha que no sabe bien lo que hace. Simulas una inocencia a todas luces falsa, y pudibundamente hundes con las manos la falda algo levantada en el hueco entre tus piernas, hasta tocar las de Von Hagen. Buscas cualquier frase.

—Míreme fijamente a los ojos, doctor. Se va a quedar profundamente dormido.

Von Hagen no sonríe mientras acercas tu boca a la suya para morderle suavemente el labio inferior. Notas su respiración entremezclada con los golpes del mar en la noche, fuera, lejos de aquella habitación con el aire saturado de humo. Cuando te retiras un poco para poder verlo, una sombra cruza su rostro. «Lo siento», has dicho. Pero no estás avergonzada. Te levantas y caminas hacia la puerta, saboreando tu descaro. Sales sin despedirte: bella, caprichosa y algo cansada. Allí queda Von Hagen, el insomne, quizá recordando, para atormentarse, la última vez que su mujer lo besó cargada de deseo como tú has hecho ahora. Solo.

Tercera parte

Los pasos de la tentación

I

ES TARDE, BEATRIZ; ES TARDE. Hace tiempo que ha anochecido, pero desde la explanada por la que corres se ve perfectamente el entramado de las vías que confluyen en la estación. Sería más rápido seguir los rieles, aunque no vas a cometer la torpeza de dejar la más mínima posibilidad de que te arrase una máquina. Corre, Beatriz; corre. Darías todo por estar sentada tranquilamente en tu compartimento, con la pesada bolsa en el maletero, mirando distraída el movimiento de los operarios por los andenes.

Cuando cruzas el portal del recinto, los altavoces te recuerdan que el tren parte en unos instantes. En el despacho de billetes hay una larga cola de ancianos. Te diriges a los que esperan al principio.

—Por favor, mi tren está a punto de salir.

El cabeceo con que reciben esas palabras te da a entender que no hablan tu idioma. ¿Dónde estás? Quizá en una estación de Londres, o en Berlín, o en las afueras de Atenas. No. Deprisa, Beatriz; deprisa. Tienes la sensación de haber trazado el recorrido hasta aquí a través de un penoso entramado de estaciones y andenes suburbanos, de haber fumado apoyada en la pared esperando a que llegaran vagones de metro iluminados con una tenue luz amarilla; pero eso apenas importa ahora, cuando el pitido del tren en que deberías viajar rasga el aire sobre el bullicio de la estación, cuando desistes de conseguir un billete, cuando corres ya sin la bolsa sabiendo que inevitablemente vas a perder ese maldito tren.

El sabor de la pesadilla, recordada esta vez en todos sus detalles, ha impregnado el día, tiñéndolo de un sentimiento de ansiedad. Caminas con paso decidido golpeando el suelo de mármol con la madera de los zuecos. Te detienes junto a una puerta que tiene la placa de identificación del doctor Villalta. Golpeas suavemente. Desde dentro la voz de Villalta te invita a pasar. Sentado en su despacho, no levanta la cabeza cuando entras, sino un poco después, cuando ya estás detenida frente a él, algo inquieta, buscando las palabras adecuadas para explicarle tu presencia allí.

—Beatriz: qué sorpresa tan agradable. No, por favor; no me digas que es una visita de trabajo.

Le indicas que necesitas su asesoramiento para algunos problemas que han surgido en la terapia de Stefanini. Hace una mueca de disgusto. Ahora está muy ocupado. Ni siquiera sabe si va a tener tiempo de comer. Está libre por la tarde, a partir de una hora en la que tú tienes que supervisar una revisión a Stefanini. Villalta tiene una casa en Cadaqués. Si puedes, te invita a conocerla, a cenar allí, a hablarlo con tranquilidad. Es exactamente lo que temías, pero no te deja otra opción, si no quieres resultar grosera. Aceptas.

La revisión médica de Alessandro Stefanini confirma las apariencias: su estado físico es excelente, en contradicción con su juicio atormentado. Un médico querría que siempre las mentes quebradas correspondieran a cuerpos insanos, como si la putrefacción de la carne anunciara la disipación del espíritu. Adoramos la sentencia de Juvenal.

Alessandro pide permiso para practicar con los aparatos de gimnasia. Se lo habéis concedido. Su cuerpo se contorsiona desnudo aferrado a los aros de las anillas, volando sobre el caballo, sudando extendido en las espalderas del gimnasio.

Su cuerpo todavía está en tu mente cuando, después de saludar al guardia de la entrada con un movimiento de la mano por encima del volante, abandonas el recinto de la clínica. La tarde resulta una espiral silenciosa de la que se va apoderando el pasado.

Villalta te recibe con una sonrisa de paz. Sin la bata, vestido con unos vaqueros y una camisa de cuadros, parece más joven, más sincero. Parece casi un hombre inocente. Pero la dureza de su rostro inteligente, en cierto modo despreciable, no está del todo oculta tras su sonrisa. Con un gesto algo artificial del brazo te entrega la casa. Caminas por el pasillo sabiendo que, detrás, él repasa el perfil de tus caderas. Estará calculando el tamaño de la huella de tu cuerpo en la cama; el hueco que puedes ocupar en las conversaciones obscenas con que recordará aquella noche más adelante, ante los rostros atentos de unos subordinados que también te desean.

Desde la cocina llega el olor de un besugo dorándose levemente en el horno. Villalta te ofrece el martini seco que acaba de preparar para esperarte. Remueve en la coctelera los ingredientes calculados para un nuevo trago, disfrutando del chasquido de los hielos al contacto con la ginebra, sonriendo orgulloso al comprobar que de nuevo era la cantidad exacta para llenar la pequeña copa hasta los bordes.

Mientras saborea el martini, Villalta muestra curiosidad por tu trabajo en la clínica. Quiere ser amable. Ha averiguado en seguida que cuentas con la posibilidad de que él te asedie, que estás preparada para dejarlo en ridículo con el desprecio, y pretende establecer una pausa. «Esta noche no nos revolcaremos abrazados y borrachos en mi cama», parecen decir sus ojos. «Vas a cenar, vamos a hablar civilizadamente con un café en la mano sobre cualesquiera que sean los estúpidos asuntos que quieras consultarme. Después te acompañaré hasta el coche. Pasearé solitario un rato, cuando te hayas ido.»

Así que en la cena estás hablando con desparpajo sobre tu estancia en la clínica. Villalta rehúye valorar tus juicios. Se convierte en un interlocutor desinteresado, que pregunta sólo para rellenar los huecos que dejas en tu narración y evita hablar de sí mismo. Casi sin darte cuenta has conseguido confiarle tus temores. El comportamiento del director con la paciente que murió cuando llegaste, Patricia Lido; la extraña terapia que practica con Stefanini. Von Hagen, le dices, habla de alterar la consciencia de los pacientes, de evitar el desenlace de ciertos abominables hechos de su futuro haciéndoles creer que han sucedido. Tú temes que sea él mismo quien invente ese destino y luego logre inducir a sus pacientes a realizarlo. Después de todo, preguntas, ¿no hay algo de paranoico en su comportamiento?, ¿no se cree un elegido, alguien con un poder sobrenatural, enfrentado al destino de los hombres?, ¿no podría verse ese enfrentamiento como un síndrome de persecución?

Pero Villalta no abandona su papel. Te has detenido esperando que resuelva las dudas, que responda a las preguntas. Se excusa para retirar los platos. Sirve ron nicaragüense en dos pequeños vasos y te entrega uno.

—¿Cuándo —pregunta después— empezaste a sentir exactamente que Von Hagen actuaba de forma perversa?

Entonces comprendes el juego. Villalta no ve problema alguno en Von Hagen. No le interesa. Está psicoanalizándote. Está buscando que te adentres de nuevo en el laberinto de pasillos de tu primera noche en la clínica. Que te detengas en tu repulsa por el ascensor. Por lo tanto no habrá forma de avanzar. Si insistes en tus preguntas responderá con evasivas o te hará ver que debes romper la barrera que te impide hablar de lo que ocurrió. Y si aceptas su plan, si te adentras en la maldita noche en que espiaste a Von Hagen (es real, Beatriz, no dudes), puedes explorar de la mano de Villalta algunas zonas oscuras de aquel momento. Pero ningún camino te lleva a ser tomada en serio. No quieres convertirte de buenas a primeras en la paciente de un imbécil que probablemente practica una terapia interesada. La naturalidad con que Villalta recibe tu silencio corrobora el juicio. Buscas la forma de romper la situación.

—Me parece que te estoy agobiando con mis obsesiones. A ti, que te pasas el día entero trabajando.

Es suficiente, pues casi de forma mecánica Villalta ha retomado la expresión amable de anfitrión. «De ninguna manera», ha llegado a decir, y casi al mismo tiempo ha comprendido que comprendías, cuando ya la improvisada sesión salta por los aires hecha añicos. Entonces, para cegar los caminos de vuelta, recurres a halagar la vanidad de Villalta. Von Hagen, le dices, ha destacado su trabajo varias veces ante ti. Sabes que se ocupa en reconstruir el pasado de aquéllos a quienes les falta, pero no sabes cómo. Villalta se recuesta sobre la silla, bebe el ron añejo y, sucumbiendo al cebo, comienza a hablar de su método.

—En realidad mi trabajo no es muy distinto del de un narrador, alguien que inventa historias coherentes y en cierto modo verosímiles. Lo importante es crear una estructura, el andamiaje en el que va a superponerse un material de acontecimientos en una sucesión que, por desgracia, debe ser cronológica. La única diferencia está en que no tengo por qué complacer al lector, a mi paciente.

Soy por eso más libre, si no tenemos en cuenta que la estructura ya nos atrapa. Yo le narro esas historias a un tipo hipnotizado, anulo antes su resistencia.

Villalta se detiene, observa con complacencia tu rostro interesado, y parece dispuesto a terminar ahí. No puedes evitar hacer la pregunta que esperaba para continuar.

—Hay dos tipos de materiales. Uno, el que revela el paciente, no siempre en muy buen estado, y que por lo tanto necesita algunos ajustes. Y otro de nuevo cuño, creado por el terapeuta: el material que sirve para cubrir los vacíos, pero que debe elaborarse con una técnica similar a la que conformó el otro, con su mismo tono. Trato ambos materiales como si fueran igualmente falsos. Es la distancia de la ciencia. En cuanto a los resultados, su apariencia es en cierto modo caótica, pero constituyen la cantera de la cual la memoria del paciente puede extraer una historia personal, significativa, no exenta de contradicciones, de tragedias, de pequeños miedos, de logros y fracasos.

—¿Pero no hay rechazos? ¿No chocas con la moral, con la religiosidad, con la ideología de cada paciente?

—Es asombroso hasta qué punto la gente puede asimilar cualquier suceso como si realmente lo hubiera vivido. Lo aceptan, sin perjuicio de que constituya una hazaña o la más vil de las traiciones, y lo acomodan en la conformación de un pasado del que se extrae al individuo sano, coherente, satisfecho. Eso explica por qué el más sucio y vil de los cerdos que podamos conocer es muchas veces una persona en paz consigo misma, y no un ser destrozado por el remordimiento. Para representar escenas de piedad y comprensión hay que saberse también abyecto. No sé si me explico. Lo único insuperable es el vacío. Entiéndeme: hay vacíos imprescindibles, zonas de confusión que aglutinan sucesos semiolvidados o carentes de interés. Pero cuando se crea uno de esos vacíos que dan vértigo, que absorben cuanto se acerca a ellos, entonces corremos el peligro de quedarnos sin pasado; así, sin más. Poco a poco o de golpe, pero al final llenos de sombra por detrás.

Cien veces estúpido, Villalta se regodea en sus palabras. Estúpido cien y mil veces, no se da cuenta de que ante él estás tú, sin querer escuchar, apresada desde hace tiempo por ese vacío que sus frases intentan describir pedantemente.

II

—No sabría decir cuándo comencé a sentir las transformaciones de mi cuerpo, el hueco en las entrañas. Como si el estómago se hubiese vuelto sobre sí mismo. De pronto, al ingerir algo, por ejemplo, notaba perfectamente cómo la comida arrastraba el esófago hacia el interior del estómago, sin dolor. Tuve que dejar de alimentarme a escondidas de mi mujer, que jamás habría podido comprender la mutación que se estaba operando en mí. Ella misma, como el resto de la humanidad, se iba desvaneciendo, pese a que se resistía a dejar de ser. Daba lástima sentir cómo se diluía en la nada. Entonces debió de comprender algo, imperfectamente, pues si no se habría rendido a la evidencia de la fuerza del orden universal, como yo mismo había hecho. Y maquinaba la forma de interrumpir mi mutación, sin saber que en realidad aquel proceso la salvaba, la incluía en mí hasta la eternidad. Ahora esa evolución se ha detenido. Yo no soy aún capaz de comprender qué falta, pero sin duda es sólo cuestión de tiempo. Vuelvo a sentir dolor. He soñado que intentaba salvar a mi hijo.

Von Hagen le pide a Stefanini que intente recordar el sueño. Stefanini pone orden en su cabeza.

—Al principio, estoy paseando en barca por un lago con Nero, mi hijo pequeño. Todo va bien. Hace uno de esos días primaverales, estupendos. De pronto veo que se nos echa encima un barco inmenso, imposible en esas aguas. Consigo esquivar apenas la quilla con un movimiento brusco de los remos. Pese a todo, el costado del barco, surcado por una interminable franja azul, nos golpea. Me levanto e intento empujarlo con el remo para separar nuestra barca de su mole, mientras mi hijo me contempla sonriendo, sentado frente a mí, de espaldas al barco, que parece no acabar de pasar nunca. Entonces vuelca la barca. Cuando consigo sacar la cabeza del agua, tomo aire y buceo en busca de Nero, que sigue mirándome con los brazos cruzados y sonriendo bajo el agua. Lo agarro de la camisa, y alcanzo con él la superficie. Allí no queda ni rastro del barco, pero me doy cuenta de que estamos muy cerca de la orilla. Entonces empiezo a nadar de espaldas, con un brazo, sosteniendo a Nero en el otro, contento de ver la salvación tan cerca. Al llegar a tierra, compruebo que Nero no respira. Está descalzo. Pero no está muerto, porque tiene la misma sonrisa cruzándole el rostro, y sus ojos demuestran inteligencia. Así que lo tomo en brazos y echo a andar por un camino que no conozco, y todo el rato peleando para taparle los pies al niño: «Si tiene frío en los pies», pienso, «cogerá una pulmonía terrible, y entonces no se salvará». Intento, mientras camino, arropárselos con mi chaqueta, en la que lo he envuelto. Pero la chaqueta es demasiado corta y siempre asoma uno de los dos pies. Inevitablemente.

Stefanini acaba el relato del sueño y se queda mirando al suelo. En ese justo momento entra Friederike preguntando por Von Hagen. Antes de salir, el director te pide que continúes. Se va con la enfermera. Es Stefanini el que habla primero, cuando estáis solos. Eso te sorprende, porque nunca antes lo ha hecho. Sin duda está comenzando a salir de la trinchera tras la que se parapetó desde que se arrojara sobre ti.

—¿Es el mío un sueño de arrepentimiento?

El juego de las preguntas sin contestación es pesado, pero ciertamente te enmascara, te facilita el abandono de la niña Beatriz y te convierte en la doctora B. V. Un aburrido juego para personas mayores.

—¿Durante el sueño te sientes culpable por lo que le ocurre a tu hijo?

—No. Es decir, siempre que ocurre algo desagradable y hay un niño cerca, uno parece culpable. Los niños molestan también en eso. Pero yo me siento culpable cuando despierto. No soporto haber estado tan frío con Nero durante el sueño, ahora que de verdad está muerto. Es el sueño adecuado para un parricida, ¿no crees?

—Si el sueño demostrara algún deseo de muerte hacia tu hijo, precisamente sentirías en él remordimientos.

—En cierta forma no son pesadillas. Me hacen recuperar a mi hijo durante algún momento.

—¿Por qué no hablas directamente del asesinato? —has dicho, sabiendo que Von Hagen no dice jamás «asesinato», que te mirará al repasar en la grabadora la conversación, que no te reprenderá porque esa palabra no implica un juicio moral obligatoriamente—. ¿Cómo lo recuerdas? ¿Lo volverías a hacer?

—¿Volver a hacerlo? No entiendo. En realidad, cuando acabé me sentí aliviado, y después no hay mucho. Durante algún tiempo no sabía por qué estaba encerrado, y evitaba pensar en ello. Un médico de la prisión tuvo la amabilidad de recordarme el crimen, paso a paso. Pero en su boca sonaba a algo verdaderamente sucio. No creo que exista mucha otra gente que me haya odiado tanto sin conocerme. Sólo ahora, en estos últimos días, he aceptado las escenas tal y como sucedieron. Cuando Von Hagen las repasa no las juzga, entonces me veo obligado a hacerlo yo mismo. Eso me crea ciertas confusiones. No está mal, pero ya no me conozco.

Has dejado de apuntar en la libreta. Miras a

Stefanini e intentas darle ánimos: «Encontraremos una salida», dices. Y entonces la distancia se diluye. Stefanini sonríe agradecido. Anotas eso. Von Hagen te recordará que no eres su madre.

Como Alessandro en su sueño, en la profundidad verde, has iniciado el ascenso. Al sacar la cabeza del agua abres mecánicamente la boca y aspiras una enorme bocanada de aire. Estás en la piscina de Cadaqués. Has ido allí con la intención de mirar un piso para alquilar. Una mujerona a la que Friederike conoce te ha mostrado dos, en realidad gemelos. La luz espléndida, la vista libre de la bahía y del horizonte, desde donde amanece brutalmente cada día. Todo tal como deseabas. Pero no te has comprometido porque hay tiempo. Después has pasado frente a la piscina municipal y no has podido evitar meterte dentro. La de la clínica resulta deprimente, y además en bañador eres casi una enferma más, indistinguible para aquéllos que no te conocen y se aproximan a ti buscando un punto de conexión, una sonrisa de cercanía.

—Nadas como una sirena, jovencita.

Es Blanch el que te habla, sentado a una mesa blanca, cerca del borde. Trepas por las escaleras agradablemente sorprendida. Y te arrancas el gorro de baño para mostrar el espectáculo de tu melena corta y roja brillando seca al sol.

—¿Estás aquí? No te había visto.

Sonriente, Blanch levanta su copa de vino y te

saluda antes de beber. Después se excusa por su indumentaria. No lleva bañador. No sabe nadar. Tú ríes y le aseguras que podrías enseñarle, pero no demuestra mucho interés. Con la mirada sigue el paso de un joven bronceado. En realidad viene sólo a disfrutar de las vistas. Y jamás se atrevería a pasearse medio desnudo por allí, con lo que hay. Después se queja de que Von Hagen le prohíba mantener «ningún tipo de relación» con los enfermos o el personal del hospital.

—No entiendo por qué estas instituciones son tan estrictas con los pecados de la carne. Una vez Von Hagen descubrió cierto asunto amoroso que traíamos entre manos un enfermero imponente del pabellón segundo y yo mismo. Estábamos en uno de los quirófanos, que aquí casi nunca se utilizan y son lugares maravillosos para estas cosas, de puro asépticos. Te los recomiendo. Pero ¡qué situación tan espantosa! Aquel hombretón no dejaba de balbucear, y nuestro severo director se largó sin siquiera una excusa. Luego me citó en su despacho. No sabía qué decirle. «Estoy profundamente enamorado», se me ocurrió. Y aunque no te lo creas surtió efecto. Se quedó de piedra, y después de reflexionar me dijo: «Siendo así, no seré yo el que se interponga en vuestro amor.» Como lo oyes. Para morirse de risa. Los progresistas son muy raros, en todo el mundo; pero no hay nada tan peculiar como un progresista austriaco. Tengo que ir pensando en echarme otro novio, aunque es una tarea complicada, a mi edad. No sabes cómo te envidio. Cuando pasas por cualquier sitio se van dando la vuelta todos. He comprobado que los encandilas, sea cual sea su estado mental. Algún día me tienes que contar con todo detalle tu biografía amorosa.

—No hay mucho. Por lo general encuentro a los hombres demasiado energúmenos.

—Mientes. Se te nota en los ojillos. Puedes decirme la verdad. Y además, estoy de acuerdo, *son* energúmenos. Pero eso no les quita ciertas inmejorables virtudes.

Bueno, no querías mentir. Pero te suena tan extraño. Y hay ciertas cosas que no se dudan. Por ejemplo, el lugar donde se ha conocido el amor. Todo el mundo recuerda o inventa uno de esos estúpidos lugares. Y lo repite de vez en cuando a sus amigos, en voz baja, como si fuera el sitio más original del mundo. ¿Cuál fue el tuyo? Rápidamente improvisas uno.

—De verdad, Blanch. Mi primer novio me convenció para que nos escapáramos. Le robó dinero a sus padres, y nos fuimos a Roma, de tren en tren. Éramos unos micos. Todo iba muy bien, pero el segundo día allí se empeñó en hacerme una foto tirando una moneda a la Fontana de Trevi, de espaldas. «Pide un deseo», decía. Se puso tan pesado que tuve que hacerlo, igual que todos los que pasaban por ahí. Y pedí un deseo: «Que no le vuelva a ver la cara a este cretino.» Esa misma noche le di el esquinazo. Me volví sola, por donde había venido, tan a gusto.

—¡Qué carácter! ¿Has probado con chicas?

Ríes. No respondes porque estás intentando averiguar de dónde ha salido esa historia tan absurda. Fue Stefanini el que dijo lo de la fuente, pero no le habías hecho ningún caso. ¿Entonces? Al mirar hacia atrás, tan infructuosamente, se te hace un nudo en la garganta. Preferirías hablar de cualquier otra cosa.

—Y, vamos a ver, dejando el pasado —Blanch ha intuido los fantasmas que te asedian y quiere librarte de ellos—, ¿qué me cuentas del peligrosísimo italiano?

—No va muy bien —dices sin lograr volver del todo a la conversación—. Von Hagen y yo no conseguimos ponernos de acuerdo. Cuestión de método.

—Querida, eres tan aburrida como cualquier médico. No hablaba de eso. No quiero que lo acapares. Me han contado que merecería la pena dejarse matar por él.

III

Es ya tiempo de que ordenes el espacio que te rodea. Puedo inventar una escena en la que tú misma lo recorras metódicamente, palmo a palmo. Nadie como Von Hagen para hacer de anfitrión en un complejo en cuyo diseño intervino definitivamente. Él mismo propone acompañarte en esta visita intensiva, ahora que ya manejas con soltura los caminos cotidianos y, sin embargo, quedan tantos recodos escondidos.

En el paseo vas asimilando cabalmente la arquitectura interna de los pabellones. Los pisos se alzan escalonados según una lógica que borra la acumulación pasional creada por tu imaginación desorientada. Los pasillos, recorridos con la iluminación perfecta de la mañana, estructuran con su trazo las plantas, disponiendo las habitaciones en una distribución asequible: el plano del camino de regreso se va esbozando en tu mente a cada paso, como un hilo de Ariadna pendiendo del bolsillo de tus vaqueros.

Von Hagen pondera con sus palabras esta geometría, desvela su sencillo pragmatismo. En el pabellón primero, el central, sólo residen los médicos y los enfermos más leves, como Blanch, si es que pueden ser considerados enfermos. La mayoría de ellos está en la residencia por propia voluntad; los ha separado del mundo un simple deseo de aislamiento que en la mayor parte de los casos es debido a su edad: vienen a morir o a olvidar a los muertos en un lugar mucho más humano que un geriátrico. También abundan los casos inversos: quienes consideran este sitio como un punto de reunión social y buscan entablar amistades. Utilizan el centro como un lugar de recreo y pasan aquí períodos a los que llegan a llamar «vacaciones». Por último, hay hombres y mujeres taciturnos, inofensivos seres en los que la depresión es un camino hacia dentro de sí mismos, incapaces de comunicarse, de provocar o recibir placeres ni pesares. Fantasmas arrastrando las zapatillas por el mármol o inmóviles ante las cristaleras de la galería. Todos tienen acceso libre al exterior y pueden recibir visitas como si la clínica fuera su propia casa. Todos parecen adorar a Von Hagen, que ante ellos se muestra más como un amigo que como un médico.

El psiquiatra no usa con ellos la falsa condescen-dencia habitual, que hace del paciente un niño, ni escudriña sus ojos concentrado para corroborar o modificar los perfiles de su diagnóstico; tampoco parlotea inútilmente como el animador de un hotel. Muestra siempre el mismo rostro, pero matizado por los distintos aspectos de cada relación. No esconde su cansancio ante unos, su simpatía por otros. Compruebas que a algunos casi ni los conoce, y apenas si consigue ocultarlo cuando lo detienen para estrecharle la mano. Parece, entonces, uno más de ellos; lleva la bata como si fuera una prenda robada, sin que su peso lo acomode en el lugar de los cuerdos, a este lado reconfortante de la línea.

Además del edificio central, otros dos pabellones menores se reparten holgadamente el dominio del terreno. El pabellón segundo acoge al grueso de los habitantes del centro. Enfermos de distinta condición: jóvenes envejecidos, como Ulloa-Sagasta, adultos infantiloides, mujeres y hombres sin edad: residentes forzosos que han llegado desde varios puntos del mundo. Algunos habitaron en otro tiempo el pabellón primero, hasta que la evolución de su enfermedad los degradó a su condición actual. Otros han llegado aquí impulsados por sus familias. La familia es una institución que favorece el desarrollo de clínicas como ésta. Se libran de las cargas pesadas. Vienen con el abuelo o el hijo tonto y un diagnóstico inapelable: «No hay nada que hacer, doctor. Tememos por él», dicen. Y hacen como si lloraran cuando el enfermo se da la vuelta. Luego se largan y no los vuelves a ver. Da gusto, la familia. Por ahí andarán todos. Moqueando de autocompasión. «Un loco en la familia, fíjate, qué desdicha.»

El primer día que pisaste esta Babel anacrónica comenzaste ya a elaborar en tu mente la verdadera imagen de lo que sería tu trabajo. No habías venido a luchar contra la locura sino a convivir juiciosamente con ella. Y ahí está de nuevo ahora, cuando paseas con Von Hagen: en los espasmos de la cabeza y de los hombros con que acompaña su caminar curvilíneo un joven melenudo de tez cobriza; en la sonrisa sardónica de una respetable dama cabizbaja que flota absorta en su mecedora; en el atolondrado vaivén de los más, que prefigura encontronazos y los evita sólo en el último instante, mecánicamente. El recorrido de cada uno parece responder a resortes recónditos de su alma. Vagos planetas en un universo regido por el dios de la chifladura, no se encuentran; no se rozan jamás.

El tercer pabellón no se diferencia demasiado en su apariencia de los otros dos. Es algo menor; está semioculto tras la mole de ellos.

—Hemos visitado el cielo y el purgatorio —afirma Von Hagen, que se pirra por la alegoría, deteniéndose a escudriñar tus ojos inocentes antes de entrar al tercer edificio—. En el pabellón central está el paraíso. Su paz, los frutos de sus árboles nos permiten considerarlo a veces el único lugar de la existencia. Allí los médicos impartimos nuestra ciencia: el milagro es posible. Por su parte, el trajín al que acabamos de someternos, ese panal de confusa construcción, es la vida. Estoy seguro de que la verá como un lugar atractivamente enigmático. Para mí, que carezco de su envidiable juventud y de su optimismo, no es sino un valle de lágrimas.

»Nunca ha entrado en el infierno, aún, ¿no, Beatriz? —Von Hagen habla con cierto orgullo del complejo, como si hubiera colocado con sus manos cada uno de los ladrillos—; allí sólo van los que han sido desechados por nuestra capacidad de comprensión. Sé que sentirá compasión. Yo me consuelo pensando que hay un camino de regreso desde el infierno al paraíso; pero le advertiré que no he visto a nadie surcándolo.

»Conocerá los trípticos del Bosco. *El jardín de las delicias, El carro de heno.* El camino que narran, de izquierda a derecha, es irreversible. Por detrás del primero está representada la creación, un mundo esférico, en blanco y negro, surcado por animales, caballos transparentes como espectros. No sabemos casi nada de los trazos de esa parte de la pintura. No se expone al público.»

Te adentras en aquel lugar con la leve sensación, otra vez, de estar descendiendo. Desde una esquina, alzada sobre vuestras cabezas, una cámara os amenaza con su cuello inquisidor. Un guardia, rodeado de pantallas de televisión, pulsa desde dentro el botón que abre la puerta enrejada frente a la que os habéis detenido. Cuando silenciosamente se cierra sobre vuestros pasos, el guardia descorre los cerrojos del portón que da a unos pasillos mucho más hostiles que los que ya has recorrido. En los flancos se suceden puertas blindadas con una amplia mirilla que deja contemplar el interior. Aproximadamente cuatro de cada cinco salas, acolchadas todas y desoladoramente vacías, están ocupadas por un inquilino. En total veinte hombres y siete mujeres. Algunos, en este momento, llevan camisa de fuerza. Von Hagen se detiene ante la celda de uno de ellos. Está calmado. Agacha la cabeza al ver al doctor.

—Este es Henry Watermouth. Henry lleva cinco años aquí. Entre la policía británica y nosotros hemos descubierto algunos de los crímenes que cometió en los veinte años que tardó en llegar. No forman un relato edificante —observas a través del vaho con el que tu respiración empaña el cristal del ventanillo: Henry está mirándote acurrucado en un rincón de la sala como un pájaro asustado—. Henry dedica todos sus movimientos y cada ápice de su capacidad intelectiva a inspirar compasión. La compasión que usted misma ya debe de estar sintiendo por él, nada más verlo. Le fascina desatar en los demás ese sentimiento antes de destruirlos. Es un tipo de locura singular. Intratable. Sólo contamos con un médico capaz de entrar en esta celda sin despertar los deseos de violencia de Henry, el doctor Villalta, ya lo conoce: un colega curioso, extremadamente eficaz, del que creo —y entonces sonríe para que no vayas a interpretar como una verdad su ironía— que no ha sentido lástima o algo parecido por nadie, ni siquiera por sí mismo.

Una lágrima resbala por la mejilla de Henry brillando contra la luz del sol que alumbra su celda a través de los amplios ventanales. La ternura es un sentimiento que debería florecer fácilmente en una niña bonita que contempla por primera vez a un hombre encerrado. Tú intentas dejarla afluir, aunque sólo sea para que Von Hagen pueda corroborar el juicio que parece haberse formado de ti; pero tienes demasiadas cosas en las que pensar, y ciertos sentimientos no pueden simularse.

—Es verdaderamente un ser conmovedor —dices después de echar a andar curiosa hacia otra celda. Von Hagen comprende entonces. Y te sigue desarmado. Desde la noche en que lo besaste te cuesta hablar con él. No te has arrepentido. No recuerdas tu estúpida interpretación con sentimiento de ridículo. Pero el dolor que viste en Von Hagen te impide la naturalidad.

Sólo comprenderás la arquitectura que conforman los tres edificios alzándose apaciblemente junto al mar, peinando la brisa de la playa a su paso hacia el interior, al concebirla integrada en esta tierra. Las fachadas escalonadas rememoran los peldaños deshechos de las terrazas, que en algún tiempo cobijaban viñedos en los alrededores de Cadaqués. Las estructuras desafían en invierno a la tramontana y prolongan su silbido estéril. El color gris perla que tiñe los edificios abunda en el tono demente con que las rocas de pizarra y los olivos conforman las siluetas cortantes del terreno.

Esos accidentes comulgan en la tierra y en los edificios para instaurar una topografía falsamente isleña, casi volcánica, tan adecuada para un loquero o una leprosería. Pese al sol, por aquí no debería venir nadie,

Beatriz; pero el hechizo del lugar resulta tan poderoso que tenemos el negocio lleno: hay pasta para repartirnos hasta reventar.

Por la tarde te has decidido al fin a investigar la labor de Von Hagen. Entre las estanterías de la sala de archivos has paseado buscando las grabaciones de las sesiones que mantuvo con Patricia Lido. Compruebas que hay un hueco en el lugar en donde deberían hallarse. De pronto oyes un ruido sordo que delata la presencia de alguien más en la sala. «¿Quién está ahí?», has preguntado algo atemorizada. Oyes los pasos que se acercan. Frente a ti se detiene Alessandro Stefanini.

—Necesito hablar contigo, a solas. Y sin la grabadora.

Retrocedes despacio recordando el día en que aquel hombre se abalanzó sobre ti.

—No puedes pasar a esta zona.

—No lo sabía. Perdona, no quería asustarte. He visto que entrabas y te he seguido.

Stefanini está tranquilo. Debes sobreponerte. Lo invitas a salir al jardín. Acepta con una sonrisa. Antes de abandonar el pabellón central entras en los servicios para tomar un par de benzodiazepinas, pues el susto ha disparado una de tus cada vez más frecuentes taquicardias.

Paseando a tu lado, Alessandro busca con esfuerzo las palabras. Lo cierto es que está muy satisfecho con su propia evolución. Desde hace algún tiempo cree que al fin ciertas cosas fundamentales se están ordenando en su cabeza. Está convencido de que tu esfuerzo no ha sido en vano.

—Sin embargo —continúa—, no puedo decir lo mismo de la actitud del doctor Von Hagen. Las largas sesiones en las que me hipnotiza sólo me provocan inquietud e insomnio. Sé muy bien que la hipnosis puede ayudar al descanso. Pero yo despierto siempre en un horroroso estado de ansiedad. ¿Qué hace conmigo en esas sesiones? Me siento manipulado. Y lo que es peor: no creo que quiera curarme. Es como si pretendiera que me revolcara en mi enfermedad.

Intentas convencerlo de que en realidad debe hablar eso con el propio Von Hagen. Le explicas que la relación entre paciente y médico siempre tiene algunos problemas, pero que Von Hagen sabrá convertirlos en una ayuda más para la terapia.

—No crees en lo que dices.

Stefanini se ha detenido para soltar su desconcertante frase. Puesto que ya se ha dado cuenta de las diferencias que mantienes con Von Hagen, tienes que reconocer que tú tampoco estás muy de acuerdo con algunas de las cosas que hace el director del centro. Pero eso no significa nada. De hecho el propio Alessandro acaba de decir que está contento con los resultados obtenidos. Es impensable que su cura se haga sin sufrimiento, pues la verdad es siempre terrible, no sólo para alguien como él.

—Es muy común pensar que quien nos quiere ayudar

nos persigue —afirmas con menos convicción de la que desearías—. Intenta evitarlo. Habla con él. Si quieres yo estaré presente.

—No. Ahora no podría. Quizá tengas razón. Sólo te pido que de momento no le cuentes mis quejas. Apelo, aunque sea, al secreto profesional —Alessandro te guiña el ojo, divertido y seductor—. Debo hacerlo yo, pero no estoy preparado.

El pacto te agrada. Otra vez Beatriz, la niña, buscando cómplices.

Junto a él caminas por un sendero del jardín. Os acercáis hasta un lugar recogido: un pequeño promontorio en el que se alzan tres sauces. Alessandro se vuelve para contemplar el paisaje, el suave color del césped, un tanto artificial, roto por el alzado de los tres pabellones contra el cielo y el mar.

—Este lugar tiene algo apacible —afirma el enfermo, intentando esbozar una sonrisa—. Si yo fuera un anciano también vendría aquí a morir.

No hay nada lúgubre en su tono. Sólo es un quejido. La lamentable facilidad con que nos regodeamos en la derrota. Por eso has posado una mano sobre su hombro. A lo lejos, el enfermero Hans busca desesperadamente a Stefanini por el jardín. Al fin os ve y corre hacia vosotros.

Fuera es de noche. Impulsada por tu conversación con Stefanini, te has escurrido silenciosamente dentro del despacho de Von Hagen. Algo asustada abres y cierras los cajones. Al fin encuentras una caja de cintas con las iniciales de Patricia Lido. A su lado te han sorprendido otras: «F. U.»; Francisco Ulloa. No sabías que Von Hagen lo tratara. En el equipo del despacho realizas las copias de las de Patricia, apresuradamente, intentando al tiempo encontrar una buena excusa, por si en cualquier momento llega el guardia. Cuando al fin estás en tu cuarto, después de haber recorrido pasillos, salas y tramos de escalera con el corazón encogido, escoges, entre las pastillas de tu cajita plateada, dos blancas de alción.

«...Rodeada de espuma en la bañera extiendes el brazo limpio y frágil, y con una cuchilla, despacio, dibujas un surco en tu muñeca: una rosa perfecta por donde la vida fluye desorientada...»

Tal y como lo oíste. Rebobinas la cinta para buscar un ruido que delate tu presencia en la habitación. Pero no hay otra cosa que el discurso de Von Hagen, a punto de concluir, distorsionado por el pequeño altavoz de tu aparato. Y antes de eso muy poca información más. Únicamente la voz del doctor guiando a la muchacha por varios sucesos triviales que confluyen en el suicidio que luego ella misma ejecutaría. Sustituyes la cinta por otra grabada en una fecha anterior. La voz de Von Hagen, con dejes de artista, convoca al sueño ayudada por los efectos del alción.

«...Por tu cuerpo, Patricia, discurre el camisón hasta quedar arrebujado en el suelo. Caminas hacia Stefanini, que te está esperando detenido al fondo de la sala. Va a matarte con una dulce presión de los dedos sobre el cuello...»

En duermevela casi revives la ficción que Von Hagen preparó algún día para Patricia. Pero el nombre de Alessandro Stefanini te extrae del ensueño. Recuerdas la relación que el propio Von Hagen estableció entre los dos. Ella estaba enamorada de él, al parecer. Y de nuevo no comprendes nada.

CUARTA PARTE

Los pasos de la metamorfosis

I

EN EL JARDÍN, SENTADO A la sombra de un manzano joven, se halla Ulloa-Sagasta, con el rostro sombrío como su traje. Te has acercado a él sonriendo, lo has saludado, pero no responde. Ni siquiera te mira.

Sientes un tímido tirón en la camisa. Al volverte encuentras a un hombre al que no conoces, un paciente algo mayor, con la nariz y las mejillas enrojecidas por la dipsomanía.

—No le hable ahora. Está enfadado.

—Vaya —respondes—, ¿y por qué?

—Está enfadado —continúa aquel hombre— con Dios. Es que Dios ha vuelto a humillarlo.

Frente al rostro rosado de tu interlocutor, la piel de Ulloa-Sagasta es aún más pálida. El hombrecillo no espera a que lo animes para continuar.

—El señor Sagasta adivinó que yo tenía una cita. Con una dama de este lugar. Y me profetizó la putrefacción del hígado, por el pecado, devorado por un pájaro con cuerpo de gusano. En cuatro días, ¿sabe? Pero yo me arrepentí. O la dama no acudió. Así que sin el mal no hay castigo. Dios me ha perdonado. Han pasado cinco días. Y tengo el hígado como el de un chaval de doce años. Le molesta que su profecía no se haya cumplido.

Le indicas al desconocido, siguiendo su juego como una nodriza complaciente, que no ves razón para que el señor Sagasta se enfade. Al fin y al cabo su profecía ha impedido el pecado.

—El corazón de Dios —afirma entonces Sagasta solemne— es voluble como el de las mujeres y las hienas. Por eso huyo de su palabra. Pero Él me atormenta cada noche.

—Despacio, Beatriz; despacio.

Von Hagen no quiere hablar ahora. Con las manos en los bolsillos de la bata camina dando largas zancadas. Tú lo sigues, le pides que espere. Tiene que escucharte.

En su despacho se detiene al fin. Cierras la puerta. Von Hagen se sienta a su mesa. Abre un cajón. Toma una carpeta cualquiera. La extiende frente a sí.

—Alessandro —vuelves a empezar— cometió el crimen bajo los efectos de una intoxicación. No puede verse sólo como un proceso endógeno. Si no hubiera tenido el accidente con ese chico...

—¿Quién diablos le permite plantearse semejante disparate? —Von Hagen está enfadado, pero al fin ha aceptado la discusión—. ¡Si no hubiera tenido el accidente! Vuelva al día en que lo tuvo y deténgalo. Acabará lamentando su nacimiento. Pero eso no nos lleva a ninguna parte.

—Lo que quiero decir es que está aceptando su culpa. Hay claros indicios de una voluntad de reinserción. Y eso es un avance. No veo por qué no hemos de actuar en la forma convencional.

—Lo haremos, si consigue explicarme qué es exactamente su «voluntad» y en qué medida influye en su comportamiento. A mí no me preocupa demasiado lo que quiera hacer. Sólo temo lo que haga en realidad. Su diagnóstico encierra una enorme sarta de tópicos. En realidad es un juicio emocional, y por eso es peligroso. Sólo muestra su propia buena «voluntad». Eso y que es el primero que hace. Para mí, el de Stefanini es uno de los casos más insólitos que haya tratado nunca. Si tuviera que evaluar los resultados obtenidos hasta ahora, le diría que está jugando con nosotros; pero como eso es impensable me callo.

—Mientras tanto, somos nosotros los que manejamos su destino. Lo único que quiero es que descendamos gradualmente la vigilancia sobre el enfermo.

—Muy bien. Pues haga otro informe solicitándolo. Pero no me pida que lo firme. Ni siquiera estoy convencido de que no me equivocara al sacarlo del pabellón tercero.

—Nadie leerá un informe mío si hay otro suyo contradictorio.

—Por supuesto —Von Hagen ha sonreído; por primera vez ves desprecio en su mirada—. Al primero que tiene que convencer es a mí.

—¿Por qué se niega a dejar que su vida transcurra?

—Beatriz, por favor. Hay crímenes pendientes en su vida que le pondrían los pelos de punta.

—Es usted el que está jugando con su voluntad. El que le obliga, con la hipnosis, a alejarse delirantemente de la realidad. ¿Quién se cree que es?, ¿Dios?

Tus palabras son un insulto. El mayor que puedas hacerle a Von Hagen. Las recibe como tal. Y al fin lo ves absolutamente enfurecido.

—¿Y usted? Se supone que estamos trabajando juntos en esto. ¿Por qué se alía con el paciente? ¿Por qué no me ha contado sus quejas de la terapia? No habría perdido tanto tiempo si me hubiese dicho antes que estaba desarrollando un síndrome de persecución con respecto a mí. Y lo peor de todo es que la ha contagiado.

Y entonces sientes miedo. ¿Cómo sabe Von Hagen que tuvisteis aquella conversación? Estás segura de que Stefanini no ha contado nada. Y la furia de Von Hagen hacia ti no es sino una demostración de celos. Lo que realmente te reprocha es que a aquel beso que le diste borracha no lo haya seguido nada. Tiene celos de Stefanini, de su edad. Y tus avances con él en la terapia también le fastidian. Es evidente que estás consiguiendo lo que él sólo no podía hacer. Comprendes que a ese viejo le gustaría poseerte, tenerte a su disposición para establecer un asqueroso juego de saliva y de piel.

«Nada tan despreciable, nada tan prescindible como el amor.» Eso mismo estás pensando al subirte a horcajadas sobre el cuerpo a punto de la extenuación de Ignacio Villalta, al requerirle con un gruñido obsceno, al lanzar hacia atrás el remolino de tu pelo rojo. Quiere sonreír, pero todavía sigue sorprendido. No esperaba encontrarte allí cuando abrió la puerta de su casa. Te invitó a pasar intentando ocultar que iba a salir en ese momento hacia la clínica. Ahora mismo debería estar trabajando. Suena al fondo un teléfono, probablemente una llamada de personal. Pero Villalta, que casi ha gritado cuando le has hundido las uñas en el costado, está demasiado ocupado intentando mostrar satisfacción. Intentando decirse que es él mismo quien ha provocado esto. Buscando una frase para pronunciar ufano ante sus compañeros: «Cuando se quiso dar cuenta, la había desnudado y la tenía debajo de mí, a punto de echarse a llorar.»

«No, Villalta», piensas, divagando en brazos de la química de las pastillas de artane que has consumido compulsivamente tras la discusión con Von Hagen. «Es lamentable, pero esto aún no lo conocías. Ni siquiera sabes qué hacer cuando de golpe te he cogido el pelo y te he dado un tirón que te tuerce la cabeza y abre la boca. Cuando con un mordisco te desgarro la piel del hombro y sientes un hilo de sangre humedeciéndote la espalda. Intentas pensar que el dolor es semejante al placer;

pero un hombre como tú sólo dice cosas así, jamás las piensa. Intentas repetir el gesto conmigo, torpemente: agarras mi cabellera roja, pero toda tu violencia se desvanece en blandas caricias, en un vaivén cuyo ritmo nace de mí.»

He aquí a Villalta humillado, ensangrentado, tendido entre las sábanas, meditando como si acabara de despertar de una pesadilla. He aquí a Villalta poseído, enamorado para siempre, con un arañazo en forma de media luna marcándole la espalda y el hombro paralizado por el dolor. Al entrar lanzaste el bolso sobre un tresillo. Te volviste hacia él y comenzaste a desabrocharte los botones de la camisa blanca. «Me das miedo, Beatriz», decía mirándote. Pero aún no tenía miedo. Intentaba ironizar ante su supuesta victoria.

He aquí a Villalta pensando que algún día morirá. Otra vez quiere disimular: «Me has vuelto loco, chica. A eso le llamo yo disfrutar.» Hubieras preferido algo todavía más ridículo, como «ha sido maravilloso» o «te quiero», pero es suficiente para decir la frase que guardabas para él desde el principio.

—No seas imbécil, Villalta.

Tu piel todavía supura el olor imparable del deseo esa noche, cuando entras en la unidad de trastornos del sueño. Tras abandonar la casa de Villalta has traspasado la oscuridad y la lluvia a bordo de tu apagado coche rojo: una sombra negra entre el barro. En una de las camillas yace inmóvil el cuerpo de Stefanini. Tienes que esforzarte para seguir en los papeles impresos la línea del encefalograma, que describe la tranquilidad del sueño. Tres, cuatro veces se ha despertado, sólo durante breves instantes. «Lo suficiente para lamentarse por una vigilia inexistente», piensas, y te acercas a contemplar con envidia el reposo del paciente, cuya respiración abre acompasadamente los pulmones, alza cada cierto tiempo el pecho que alberga la vida diminuta.

Has acercado demasiado el rostro a su rostro. Estás husmeando la fragancia que despide su sueño, mucho más atractiva que la de Villalta, que aún tiñe tu propia fragancia. Bruscamente sus ojos se abren. Ni siquiera te has asustado.

—¿Lo ves, doctora? No consigo pegar ojo. Estoy así desde que me tumbé. Y además me siento observado como un ratón de laboratorio.

—El gráfico dice que llevas casi tres horas durmiendo profundamente. Tranquilízate.

—Es una máquina bastante mentirosa —Stefanini levanta la cabeza y comprueba que Hans, el enfermero, sigue roncando en su silla—. El único que no ha parado de dormir es ése. ¿Ya no te doy miedo?

Sonríes. Le pides que se incorpore en el camastro y comienzas a retirar los conductores. ¿Ha soñado algo?

—He estado pensando en cosas. Cosas mías. Doctora, desde que estás aquí, ¿cuántos locos te han venido con el cuento del error? Me refiero a eso de «yo no estoy loco, hay un error, le cambié el puesto a uno por dinero», o «me hice el loco para librarme de mi familia»; historias así.

—Así, ninguna; pero siempre hay cosas parecidas, más o menos absurdas. ¿Por qué te interesa?

Stefanini se estira. Los huesos de sus brazos chascan. Bosteza.

—Porque voy a contarte una de esas absurdas historias.

¿Y por qué estabas esperando tú el momento en que dijera algo como eso? Casi has tenido que simular la extrañeza de tu rostro. Alessandro ha dejado de sonreír.

—Mi nombre, mi verdadero nombre es Gianni Conte. Sargento de la policía italiana, del departamento de Psicología. He ingresado para investigar los suicidios que han sucedido en los tres últimos años en este hospital, entre ellos el último, de una colega española que se inscribió aquí con el nombre de Patricia Lido, ocurrido en las fechas en que tú llegaste. Por lo que me comunicó poco antes de morir, Patricia había encontrado pruebas de los crímenes de Von Hagen. Ambos trabajábamos sin mantener demasiado contacto, por razones de seguridad. Ignoro cuáles son los móviles que llevaron a Von Hagen a acabar con otras cinco personas, anteriormente. Pero sé por qué mató a mi compañera.

—Efectivamente —le dices retirando la mirada de su cara y volviéndola sobre los papeles con la línea de su sueño impresa—, es un historia muy absurda. Mañana tienes que volver a esta unidad a la misma hora. Yo tampoco estaré al principio.

—Muy poco interés para ser la historia de un

paciente al que estás tratando. ¿No esperas sacar nada de ella?

—Es demasiado estúpida para que se te haya ocurrido hacérmela tragar. Y además llega un poco tarde, ¿no crees?

—Es la verdad. Y no tenía previsto contarla hasta que fuera evidente. Si lo hago es porque ahora resulta necesario.

No puedes resistir el deseo de que algo así sea cierto: una concluyente explicación para la escena que contemplaste la noche de tu llegada y que recientemente confirmó la grabación robada: la imagen de Von Hagen hablando seductoramente del suicidio ante una mujer que lo practicaría a las pocas horas.

Stefanini continúa: eres la única persona de ese hospital sobre la que Von Hagen no ejerce aún su desconcertante influencia. Tú misma sabrás que el recorrido científico del doctor es bastante discutido por la mayoría de sus colegas. Nada, dice, se pudo hacer tras la muerte de su compañera, pues la autopsia corroboró el informe de la clínica, y aún no hay pruebas suficientes para implicar a Von Hagen. Stefanini sólo puede demostrar que verdaderamente es policía, y no un artista chiflado. La policía española pidió su colaboración porque es especialista en hipnosis, y temían que alguien no preparado pudiera ser descubierto, como finalmente le ocurrió a Patricia Lido. Todo fue expresamente montado: el espectáculo en que Von Hagen quedó admirado por las artes de «Il Grande Stefanini», su supuesto crimen en Mallorca...

Las denuncias contra Von Hagen parten de familiares de cinco personas fallecidas por suicidio en los tres últimos años. Stefanini no puede demostrarte que Von Hagen es culpable. Pero sí, afirma, que él mismo es policía. Al pie de un almendro del jardín está enterrada una bolsa con su placa y su pistola. Te pide que lo compruebes y que las escondas de nuevo. Sabe que Von Hagen planea algo contra él, quizá de momento sólo aislarlo. Está seguro de que lleva algún tiempo sospechando su impostura, pese a que, como tú misma has podido comprobar, ha sido preparada minuciosamente. Pero esa misma noche, hace una hora, ha estado a punto de ser sorprendido por el psiquiatra cuando fisgaba en su despacho, en busca de algo verdaderamente comprometedor. Stefanini ha escapado, pero sabe que Von Hagen lo ha reconocido. Ahora estará atando cabos y pensando en la forma de eliminarlo.

—¿Hace una hora? Hace una hora estabas durmiendo aquí, Alessandro.

—Por supuesto, comprenderás que haya sustituido mi gráfico por el de otro paciente. Hay montones de ellos en esta sala. Observa el papel continuo. Sólo el principio es mío. A partir de la tercera página está adherido el falso —Stefanini desdobla el papel—. Una chapuza efectiva. Vamos, Beatriz, tú misma me descubriste una vez en la sección de archivos. Tuve que inventar que te había seguido para hablar contigo. Y aproveché para tantear si podía fiarme de ti. Estoy convencido de que sí puedo.

Constatas la interrupción de la línea, la manipulación del papel. Pero te vuelves decidida a despertar al enfermero. Stefanini atrapa tu brazo firmemente y te enfrenta de nuevo a su mirada.

—Tienes las pupilas dilatadas —dice—. ¿Qué has tomado ahora?

Es evidente que ese hombre sabe mucho más de ti que tú de él. El artane te contamina la sangre en las venas de las sienes, y sientes un calor inmenso que ha ido ascendiendo desde los pies por todo el cuerpo. Te gustaría echarte a llorar.

—Encontraremos una solución también para eso —dice Alessandro-Gianni, haciéndose dueño definitivamente de tu papel. Y entonces no puedes reprimir un sollozo.

Antes de continuar te ha besado despacio, sin que opongas resistencia.

—Beatriz, no tienes por qué ayudarme. Lo entenderé. Pero no digas de esto ni una sola palabra. Ni aun cuando sepas que todo lo que te digo es cierto, no confíes en nadie de este hospital. La influencia de Von Hagen, lo sé, es absoluta. Y no es mi vida la única que está en peligro.

—¿Quién más...?

—Creo que Von Hagen busca el suicidio de Francisco Ulloa.

—Ese pobre. Pero ¿por qué?

Stefanini-Conte no está seguro de que haya un móvil, no al menos uno común. Es evidente que el profesor es un enfermo. Imagina un futuro trágico en sus pacientes, y luego manipula los sucesos para llevarlo a cabo.

—No puede ser, Alessandro —dices, resistiéndote a aceptar la evidencia—. Yo te vi alguna vez. En un teatro. Tenías un chaqué.

Stefanini-Conte te mira asombrado.

—Es imposible. A no ser que estuvieras en Barcelona. Sólo hicimos una representación, para atraer a Von Hagen. Con público de verdad, es cierto. Pero eso fue hace un año. No estabas en Barcelona el verano pasado, ¿verdad?

El verano pasado. Dudas. No. Te acordarías. No, claro. No estabas allí el verano pasado.

—Cuidado, Beatriz —ahora Stefanini-Conte sí que parece preocupado—. Es posible que Von Hagen se nos esté adelantando. Su técnica es asombrosa. No quiero ni pensar que haya sospechado que iba a pedirte ayuda. Si decide practicar su terapia contigo puede hacerte creer lo que quiera. Te paralizará. Inventará un pasado conforme a lo que desee de ti. Debes aprender a controlarte. Debes sospechar de tus propios actos. Puede hacerte creer que has vivido cosas impensables. Si es que no ha comenzado ya.

Bajo la lluvia estás corriendo en busca de un almendro, nocturna como la niña de un cuento infantil, bajo la lluvia. Guarecida sólo levemente por las ramas cuyas hojas se afanan por caer estás arrancando el barro con las manos, con el deseo firme de no encontrar nada, de volver a tu habitación riendo con la ropa empapada, de dormir durante horas, de alejarte, de regresar bajo la lluvia a otro barrizal en el que en tu infancia se quedaban como ahora los zapatos atrapados en el suelo. Pero el tacto del plástico llega, y después tienes la bolsa rota en tus manos. Abres la tarjeta de identificación, ajada por esa y por las otras lluvias del verano, en la que casi está borrada la fotografía de Gianni Conte, aunque bien claro su nombre. El frío metálico de la pistola se extiende sobre tus palmas primero. Después sobre tu pecho, en donde la has escondido.

Cuando vuelves corriendo hacia el pabellón central, con toda la tormenta dentro de la cabeza, tu frente recibe un golpe y caes al suelo. No has chocado con una rama, sino con los pies de un hombre que cuelga ahorcado de un saúco. Aterrorizada, buscas el rostro de ese hombre. Y lanzas un grito al comprobar que es Francisco Ulloa.

Al irrumpir empapada en el pabellón te encuentras frontalmente con Blanch, que te mira con preocupación a los ojos.

—Es lamentable. La tramontana ya, en pleno septiembre. Y luna llena, aunque no se vea. Todos los lobos a la calle. Y los chiflados.

Desde tu habitación puedes ver a través de la ventana cómo en el exterior arrecia la lluvia. Los guardias están descolgando a Ulloa-Sagasta del árbol, seguidos por la atenta mirada de Blanch, cuya figura se difumina entre el agua. Aquel mar que al fondo se eleva y salta voraz sobre la noche, azuzado a cada rato por una descarga eléctrica, ya no parece, no es el Mediterráneo. Temblando de frío escondes la documentación y la pistola de Stefanini-

Conte en el fondo de un bolso de mano, el bolso en el fondo de un armario oscuro como el interior de tu cuerpo, tu cuerpo en el fondo de una bañera de agua caliente; el día entero, sus objetos y sus nombres en el fondo de un sueño frío en el que no para de llover.

II

Entre los árboles de un bosque que comienza a amarillear caminas junto a Alessandro Stefanini. «Haz el favor», te dice, «de no separarte de mí». Pero inmediatamente acelera el paso, o quizá se aleja porque tú has quedado detenida. Al fondo su figura entra en el porche y, después, en el interior de una casa cuya fachada es sin duda la misma de otros sueños: un lugar hermoso en los recodos de tu niñez, tan engrandecido que apenas puedes abarcar con las piernas extendidas la altura de los peldaños que dan acceso al porche. Pero cuando penetras en la casa, sus entrañas se confunden en un entramado de pasillos esplendorosos, de blancas paredes iluminadas por una luz brillante y plana que las aumenta aún más, hasta convertirlas en un pesado bloque sin fondo y sin sombras. Presientes primero y luego ves una serpiente alzando medio cuerpo ante ti, amenazante. Entre el pánico y la fascinación acercas tu mano a su cabeza triangular y tensa. Más veloz que ella, la atenazas por la base de la cabeza, y la acercas a ti para observar el interior rosado de su boca abierta, mientras el cuerpo se enrosca con violencia a lo largo de tu brazo. Junto a ti de nuevo se halla Stefanini, aunque su rostro resulta también del todo confuso, tanto que no es él sino Von Hagen quien está hablándote, también con tono de reproche: «Resulta intolerable que haya herido tan negligentemente los sentimientos de un paciente y me lo haya ocultado.»

Irrumpe entonces Ulloa-Sagasta en la escena, alzando contra Von Hagen su dedo acusador.

—Tú, falso Prometeo —le dice con su habitual ceremoniosidad—, devuelve la luz al lugar sagrado de donde la robaste. Porque de no hacerlo todos los males se verterán sobre la humanidad, y entre todos ellos el más terrible, la esperanza engañosa, cien veces más dañina que la peste.

Huyendo de la molesta voz del profeta consigues acceder a una habitación por una puerta lateral. Las camas se alinean en un costado de la sala. Buscas la tuya, que es la tercera comenzando por el final, y te recuestas sobre ella. Entonces observas cómo por la pared escurre el agua, primero en suaves regueros y luego cubriendo la totalidad de su superficie. Compruebas que bajo la almohada siguen escondidas las tijeras, tal y como las dejaste. El agua comienza a inundar la habitación y tú te ves obligada a trepar por los barrotes de la cabecera de bronce, cada vez más alto, previendo angustiosamente la caída. Cuando sucede, sientes el golpe seco pero indoloro del bulto de tu cuerpo contra el suelo. «Esto debe de ser la muerte», piensas, y repasas con los ojos cerrados cada parte del cuerpo para reconocer su nuevo estado, pero lo hallas, despertándote, vivo y atenazado en la memoria de la lluvia de la noche anterior, tendido sobre la cama de tu cuarto en la clínica.

El mismo proceso químico que induce al sueño acaba por convertirse en una actividad indispensable para recuperar la consciencia. Desde hace algunos días necesitas atiborrarte de valium con el simple fin de abrir los ojos cada mañana, y aun así las sensaciones y el reposo comienzan a desaparecer tras la angustia.

Has encontrado la puerta de la habitación de Stefanini abierta. Dentro dos mujeres estaban haciendo limpieza. «El paciente ha sido trasladado», ha afirmado una de ellas al comprobar tu extrañeza. Ahora llevas un buen rato buscando a Von Hagen, pero no está en ninguno de los lugares habituales. Por fin lo encuentras en la biblioteca. Vuelve su rostro hacia ti en el momento en que abres la puerta. Cuando le preguntas dónde está Stefanini, Von Hagen se quita las gafas y las abandona sobre la mesa del escritorio.

—He pensado —te dice— que será mejor para todos que pase a ocuparse de otros casos, Beatriz.

Pides una explicación. Es una decisión precipitada, ni siquiera se te ha consultado. Von Hagen no quiere discutir. Simplemente, te recuerda, no es conveniente que entre un paciente y su terapeuta se establezcan lazos afectivos. Protestas porque esos lazos siempre existen, como él mismo sabe bien; únicamente no deben ser demostrados, y tú, le dices mintiendo sin pestañear, los has ocultado en todo momento. Von Hagen no quiere herirte, está seguro de que has hecho tu trabajo con profesionalidad.

—Siento decírselo así. La he retirado del caso porque es evidente que se ha enamorado de Stefanini. Sobre todo porque es un amor correspondido, lo cual, considerando sus antecedentes, resulta extremadamente peligroso. Mató a quienes más amaba.

La ira no puede abrirse paso a través de tu temor. Von Hagen te informa tranquilamente de su juego. Según él, Alessandro ha sufrido un ataque en esa madrugada: lo han sorprendido intentando escapar del sanatorio. Ha agredido a dos enfermeros, uno de los cuales sigue inconsciente. Además, es sospechoso de la muerte de Francisco Ulloa, cuyo cadáver encontraste tú misma, aunque Von Hagen está convencido de que ha sido un suicidio. Ahora el loco está encerrado en una de las celdas del tercer pabellón. Sólo pides permiso para verlo, mientras intentas reconfortarte en vano con la seguridad incierta que te da saber que en el fondo de un armario de tu cuarto tienes guardada la pistola.

Von Hagen te da paso caballerosamente en la entrada del pabellón tercero, después de que los engranajes del mecanismo de seguridad abran en silencio el portón metálico. Los guardias tienen el miedo en el rostro. Por el pasillo se oyen, apagados por los muros de seguridad, los gritos de los locos, que según el guardia que os acompaña no han parado desde la llegada del último inquilino. En su celda acolchada, observas a través de la mirilla a Stefanini-Conte, con el rostro enfebrecido por la morfina, luchando sin fuerzas por desasirse y llamándote. «Sueña», afirma Von Hagen desde detrás de ti, «que va a matarla». No puedes evitar un estremecimiento.

En la sala de rehabilitación del pabellón segundo la vida es un baile sin música. Cinco pacientes se afanan sobre los pedales de cinco bicicletas estáticas, con los pies girando y la mirada perdida en una meta falsa, ni siquiera deseada. Otro grupo de ellos se reparte en sillas anatómicas, alzando acompasadamente, unos con los brazos y otros con las piernas, pesas de distintos tamaños. Un anciano recorre cansino, ayudándose de dos barras fijas, un camino de juguete y circular que incluye una pendiente y desciende luego a través de escalones. Los que están sobre las camillas, en decúbito supino, prono o lateral, balbucean respondiendo con seriedad a las bromas de los terapeutas, que extienden, flexionan y dan masaje a miembros ajenos a los restos de los cuerpos, unidos a ellos por engranajes artificiales.

La batuta de esta sorda coreografía la lleva Friederike, quien ahora observa críticamente a un joven con barba y melena que se dirige hacia ella desde el fondo de la sala haciendo eses en su camino y agitando compulsivamente los hombros y la cabeza. Cuando llega hasta Friederike se detiene y la mira esperanzado.

—Muy bien —le dice ella, y del rostro juvenil brota tímida una sonrisa de satisfacción—; pero ahora intenta seguir una línea recta imaginaria, y no olvides mantener relajados los hombros y el cuello. Puedes observarte en el espejo del fondo mientras te aproximas —y allá vuelve a caminar el paciente con su cuerpo tomado por los estertores.

Mientras tanto te has acercado a Friederike. Cuando le pides que deje un momento el trabajo para hablar contigo casi ni te atiende, pendiente de los mínimos, insustanciales progresos del caminante.

—Por favor, Friederike.

Has dicho eso con un tono tan desesperado que ella ha tenido que volverse. Se quita las gafas y te mira despacio.

—¿Qué ocurre, Beatriz?

Y entonces comienzas un alocado discurso que, tú misma lo sabes, no conduce a nada. Intentas explicarle a Friederike la relación entre las muertes de Patricia Lido y de Francisco Ulloa y la repentina decisión de Von Hagen de llevar a Alessandro Stefanini al pabellón tercero; pero nada de eso tiene sentido sin aclarar la verdadera identidad de Stefanini, sin mostrar su placa y su pistola. Así, cuando le sugieres a Friederike que la muerte de su esposa pudo desquiciar al director más de lo que ella piensa, que una comisión médica ajena al hospital debería juzgar lo que sucede, ella te interrumpe tomándote de los hombros, te mira fijamente a los ojos.

—Por Dios, Beatriz, ¿qué te ocurre? Eres tú la que está seriamente alterada. Mírate. Has adelgazado muchísimo en las últimas semanas, y tienes unas ojeras espantosas. Deberías descansar. Yo misma te tramitaré la baja.

—Quizá tengas razón —dices resoplando para disimular—. He estado trabajando demasiado últimamente.

Friederike observa inmóvil tu nervioso recorrido hasta la puerta del gimnasio. Estás caminando directamente de vuelta al pabellón tercero. Cuando pulsas el interruptor para que te abran, una voz metálica te responde. Indicas, mirando a la cámara que espía tus movimientos, que vas a hablar con el paciente Alessandro Stefanini. La voz te deniega el acceso sin perder el tiempo en aclaraciones. Órdenes de Von Hagen.

III

Esta vez, cuando avanzas descalza por los suelos de mármol, no tienes ninguna duda de cuál es el camino para llegar hasta las escaleras. La trama laberíntica de pasillos es ahora una explanada diáfana, una cómoda rampa descendente, pero no tiene acceso a la espiral de escalones sino que concluye como un embudo en las puertas del ascensor.

Y has entrado en él sin temor alguno, sin plantearte cuáles serán los siguientes pasos que te llevarán a reunirte con Stefanini. Ahora, cuando pulsas el botón del sótano, mientras la maquinaria se pone en marcha con un quejido y una sacudida de la cabina, sólo te preocupa que el camisón ha quedado enganchado en un gozne de la puerta; nerviosa intentas soltarlo y al fin lo desgarras. En ese preciso instante notas una aceleración del movimiento, leve pero progresiva, hasta que el descenso se convierte en caída. Agarrada a las manillas de la puerta comprendes que vas a estrellarte contra el suelo; pero se hace más terrible aún la consciencia de que no caes sola. Desde un rincón en penumbra avanza un bulto humano. El rostro del enfermo Ulloa-Sagasta se ilumina.

—Vengo de parte del que sondea las entrañas y los corazones —sus gestos oscilan entre la seguridad y la crispación—. La serpiente te sedujo, y has comido.

Intentando inútilmente no escuchar sus palabras, tu cuerpo se abandona poseído por el vértigo del vacío en el que caes mientras, firme, Ulloa se enreda en una de sus ardientes profecías.

—He aquí Babilonia, la gran prostituta. Sus piernas se arquean por el deseo de la fornicación; pero sus días están contados. Llega la hora de que reine el que fue, el que es, el que será.

La alteración de la pesadilla te ha hecho incorporarte al despertar. Pero es mayor el sobresalto que te produce la presencia de Von Hagen ahí, sentado al borde de la cama, mirándote. Su voz quiere resultar apaciguadora.

—Vamos —dice—, ha sido sólo un mal sueño.

Como trasoñando descubres que tu cuarto aparece invertido: por el ventanal de la terraza, que ahora está situado al lado derecho de la cabecera de la cama, entra la luz del amanecer. Contemplas a fondo la habitación, mucho más pequeña, en la que tus objetos han sido colocados por otras manos, intentando remedar su posición en tu verdadero cuarto. Manos mentirosas.

—No se preocupe —dice Von Hagen—. La hemos traído a un cuarto del segundo pabellón. Lleva más de veinticuatro horas durmiendo. Va a estar algún tiempo sin trabajar. Friederike me informó de que estaba enferma. Cuando subimos a verla la encontramos desmayada en la puerta de su habitación. No ha sido nada, pero debe cuidar la alimentación y dejar de tomar todas esas pastillas —Von Hagen juega con tu cajita plateada en sus manos—. No de golpe, por supuesto. Intentaremos sustituir todo por propanorol. Está muy débil. ¿Por qué no me lo dijo? Me siento responsable del mal estado en que se encuentra. Y no entiendo cómo ha pasado desapercibido para mí.

Ya no te queda ninguna duda de que aquel hombre es un verdadero hipócrita: el reflejo pervertido de sus ojos pálidos desmiente la miel de sus palabras. «Quiere destruirme», piensas, «pero quizá lo detiene mi cuerpo, el deseo de plantar sus nauseabundas manos sobre mi piel desnuda». Y simulas la sumisión que él desea, exagerando tu debilidad, dejando caer despacio la cabeza sobre la almohada, con los ojos entornados, como si la luz los cegara.

—Muy bien, Beatriz. Descanse cuanto quiera. Y cuando decida levantarse, llámeme. Dentro de poco tiempo estará como nueva.

El golpe de la puerta que aleja a Von Hagen te levanta a ti como un resorte. Abres el nuevo armario y revuelves con asco tus objetos, contaminados por el tacto de manos pervertidas, femeninas, probablemente las manos de Friederike. Por fin encuentras el bolso en el que escondiste el tesoro de Stefanini. El arma ha desaparecido, pero tomaste la precaución de ocultar la identificación policial en un roto del forro interno, y ahí está. Vuelves a esconderla en el mismo sitio. Entonces compruebas que un pedazo de la falda de tu camisón ha sido arrancado, probablemente por Von Hagen, para confundirte, para incorporar el sueño que sin duda ha tejido él mismo a la realidad. Después, en una mesa pequeña iluminada por un flexo, comienzas a redactar con pulso tembloroso una carta dirigida a tu antiguo profesor, el hombre que te recomendó a Von Hagen: «Estimado señor Sánchez Galiano...»

Con la carta en la mano conduces hasta la salida de la clínica. El guardia se acerca solícito a tu coche, como siempre. Sin embargo ahora te indica que tiene orden de no dejarte salir sin el permiso expreso de Von Hagen. Ya lo imaginabas, pero no puedes evitar un insulto. Furiosa regresas, subes la escalinata del primer pabellón. Desde un recodo vigilas la oficina de Friederike. Cuando ella sale y se aleja te introduces en el cuarto y descuelgas el teléfono que hay en la mesa. No entiendes qué instinto te lleva a hacerlo, pero tomas unas tijeras que hay sobre la mesa y las guardas entre los pliegues de tu ropa interior. Marcas el número de información y recibes el de la policía. Vuelves a marcar, pero la señal muere sin ser recibida. Otra vez. Por fin, desde la central responde la voz de una señorita.

—Llamo desde la clínica del doctor Von Hagen. Soy la doctora Beatriz Vargas. Necesito que me ayuden. He sido encerrada por el director, que me considera sospechosa de estar descubriendo sus maquinaciones...

De todas formas un discurso así no va a ninguna parte. Friederike, cuyos pasos no has sentido, te arrebata el teléfono. Jadeando la miras a los ojos.

—¿Con quién hablo...? Ah, Anita, no te preocupes, una paciente... Sí, hija, todo el día estamos igual. Una lata... Adiós, bonita.

Friederike cuelga y se vuele hacia ti.

—¿Se puede saber qué te pasa? Dando rienda suelta a esas obsesiones —está furiosa porque sonríes descaradamente ante ella— no te curarás nunca.

—¿Qué temes Friederike? Si realmente no escondéis nada no puedo haceros ningún daño. Estás tan dominada por Von Hagen que ni siquiera sabes las razones de tu forma de actuar.

—Por Dios, Beatriz —perversamente entorna los ojos para simular dolor—, costó mucho tiempo poner en funcionamiento esta institución. Depende de su fama. Habladurías como las que se te han metido en la cabeza pueden acabar con ella, aunque se demuestre cien veces que no tienes razón. Queremos ayudarte, pero debes dejarnos un resquicio por donde comenzar.

Por las salas del segundo pabellón, sin bata, paseas intentando buscar una solución. Sobre ti se ciernen las disimuladas pero tensas miradas de los enfermeros, que contrastan groseramente con el desdén de los pacientes, inmersos en su delirio. Desde el otro lado, desde la locura en que forzosamente te han situado, el pabellón se transforma en un lugar angosto e inhóspito. Lo abandonas para reconfortarte en los jardines. No reconoces a Blanch cuando pasas a su lado. Es él quien se detiene, te llama, te dedica una sonrisa de comprensión.

—Me dijeron que estabas enferma.

Blanch es quizá el único que puede ayudarte. Le pides que lleve al pueblo la carta que has escrito para tu profesor, Sánchez Galiano; que la deposite en un buzón. Nada más. Entonces él se descubre. Nunca lo habías visto tan sincero, quizá un poco asustado.

—Emile me advirtió de que intentarías algo así. Tuve que prometer que no haría nada sin consultarle.

—Por favor, Blanch. Otra vez, cuando eras tú el que querías ocultar algo, yo te ayudé. Y no te conocía. Dijiste que ibas a ser mi esclavo. ¿No te acuerdas?

La vida es de una repugnancia predecible, y el único consuelo ante este hecho evidente está en que carece de importancia, la vida; pero nos negamos a reconocer tal extremo como si en ello nos fuera la repugnancia predecible que nos provoca la vida. Todavía no has conseguido quedarte dormida cuando oyes unos golpes en la puerta. No tienes por qué levantarte. El sueño está ahí, con todo su caudal de distancia, y has cerrado con llave. Sin embargo desde fuera te llega el sonido de la manipulación en la cerradura, y la puerta se abre para dar paso a Von

Hagen, con tu carta abierta en las manos, seguido de Blanch, quien ahora ya no muestra ningún temor en el rostro, sino la tranquilidad y el orgullo infantiloides de haberte traicionado.

—¿Qué es esto? —las manos de Emile esgrimen la carta ante ti, que ni siquiera miras—. Beatriz, tiene que comprenderlo de una vez: está enferma. Para su tranquilidad le diré que ya he intentado ponerme en contacto con su profesor. Está de viaje, en algún lugar de Francia. Cuando regrese, en los próximos días, tendrá su visita, y todas las decisiones se tomarán con su aprobación. Pero hasta ese momento sigo siendo el responsable de su salud y de su seguridad, que él mismo me encargó.

Antes de irse, Von Hagen te informa, mientras te quita las llaves, de que a partir de ese momento quedas confinada en el cuarto. Sólo podrás salir al jardín acompañada de un enfermero. Agotada, sin decir una sola palabra, esperas a que termine su perorata.

Quinta parte

Los pasos del amor y de los hados

I

¿QUÉ SERÁ LA LOCURA, BEATRIZ? Esa pregunta te asaltó algún día, mientras eras todavía una estudiante, sentada quizá ante un montón de papeles con apuntes sobre los síntomas de la paranoia. En aquellos tiempos repasabas extractos realizados por ti misma de obras que redactaron las manos de esquizofrénicos, supuestamente fuera ya de su enfermedad; indagabas entre las opiniones vertidas en distintos artículos por dubitativos, asombrados profesores de pluma decimonónica. Desde fuera llegaste a pensar que la locura era la irrupción de los sueños en la realidad. Ahora, cuando sobre tu vida Von Hagen ha volcado todos tus sueños, y también los suyos, estás obligada a rechazar esa hipótesis. «Puesto que soy consciente», afirmas, «puesto que soy la única persona que conoce paso a paso el proceso a que estoy siendo sometida, no estoy loca, pese a que mi realidad sea ahora un caos fabuloso, un delirio.»

¿Y el dolor? El dolor lo conoces desde que te

arrebataron las pastillas. Vomitar con el estómago vacío es ciertamente doloroso. Vomitar sacudida por las arcadas durante tres cuartos de hora, bajo la mirada compasiva y atolondrada del joven Hans, el enfermero que cuidaba a Stefanini, encargado ahora de vigilarte. Hans te sujeta la frente que arde, cuando estás así, de rodillas frente al retrete, con la boca abierta en una mueca para expulsar el aire y la bilis, sangrando levemente por las encías, con espantosas bolsas rojizas en los párpados.

Cuando acabas de vomitar Hans te lleva en brazos, solícito, hasta la cama. Durante algún tiempo permaneces ahí, extenuada, rezando para que no vuelvan las arcadas. «Cualquier cosa, Hans», le dices, dejando rodar la voz desganada. «Te daría lo que me pidieras por una caja de hipnóticos. Nadie va a enterarse, excepto tú y yo.» Pero él calla, porque es estúpido y bueno. De todos los estúpidos hombres de este maldito hospital, de este sucio mundo, te ha tenido que tocar Hans, el único bueno. No hay nada tan estúpido, tan inútil como un estúpido hombre bueno.

Hans te acompaña sonriendo en un paseo por el parque. Da dos zancadas y espera a que arrastres los pies hasta donde está. Luego otras dos zancadas, y tú arrastrándote.

—Muy bien, Hans. Para ser un perro eres muy inteligente. Me gustaría que sacases la lengua al volverte hacia mí, con esa cara de perro ilusionado.

Pero a Hans no le duelen las palabras. Está contento porque ya no vomitas, porque ya no te traspasa atrozmente la cefalgia. Si le cayera un rayo y lo aplastara serías la mujer más feliz de la tierra.

—Eso es, Hans. Algún día, cuando esté recuperada, te descuidarás y te abriré la cabeza, con lo primero que pille. Para darme el gusto. ¿Se puede saber por qué no te ahogó tu madre nada más nacer? No me lo digas.

Y Hans avanza otras dos zancadas, algo afectado, pero feliz en esta mañana soleada.

Te has sentado con la espalda recostada en la base de un haya. Cerca de ti Hans cuenta los pájaros que aletean en la copa, entre las ramas. Más allá, Villalta yerra. Se detiene al verte. Villalta está marcado en la frente por tu desprecio; está enamorado para siempre, desde la noche en que fue humillado, en su casa. Se acerca dudoso, con las manos entrelazadas a la espalda, algo cabizbajo, y se pone en cuclillas ante ti, que evitas mirarlo meticulosamente.

—¿Cómo estás, Beatriz?

No respondes a eso. Aguardas en silencio a que la pregunta se diluya. Invocas tu repulsa hacia ese hombre, para que pueda sentir cómo emana de ti sin verte los ojos. Pero ¿qué sabes tú de Villalta, Beatriz? ¿Por qué ese afán por humillarle? Antes sí, cuando lo veías como a alguien poderoso, atractivo, seguro de sí mismo. Pero ahora conoces su debilidad. Ahora, que en vano está buscando la forma de ayudarte...

Qué más da. Podemos diseccionar un cuerpo vivo, abrirlo por la espalda, arrancarle el corazón y tirárselo a los cerdos. Podemos modificar su consciencia del presente, del pasado, del futuro, manipulando ordenadamente sus procesos perceptivos. Pero nunca podemos enseñarle a repartir sus sentimientos con cierta lógica. Incluso en este otro instante, fuera de la terapia, en que pareces una recién nacida, cuando tus pupilas cretinas están pendientes de un movimiento de mi mano, no lograría desposeerte del odio y dejarte viva. Eso es evidente, y es también, aunque parezca paradójico, el último rayo de esperanza del individuo en cuanto a su existencia: puesto que odio y odio y odio hasta provocarme verdaderas úlceras de duodeno, soy, fui, seré.

—Te gustan las locas, ¿eh, Villalta? —dices, en el jardín, recostada junto al haya—. Dime: ¿con cuántas pacientes te has revolcado ya?

El médico entorna los ojos en un gesto que al mismo tiempo atempera su dolor y la molestia de un haz de luz filtrado por las hojas del árbol. Permanece unos instantes así, con las manos cogidas sobre las rodillas.

—Si necesitas algo... —ha comenzado a decir.

—Alción—le interrumpes—. O diacepam, o ruticé, o artane. Cualquier hipnótico, cualquier ansiolítico. Me da igual.

Villalta saluda a Hans, antes de alejarse con las manos en los bolsillos de la bata, confundido.

II

Ya habrás comprendido que vivir es alejarse lentamente de la felicidad, que sólo nos mantiene conectados con ella el largo y sutil cordón umbilical de la memoria. El resto es sencillo: simplemente descubrimos que olvidar nos tranquiliza aunque a la vez nos vacíe. Por eso todo el mundo, dentro y fuera de este hospital, anda constantemente repitiéndose entre dientes una interminable letanía de negaciones: «No soy el que hace unos años tramaba. No soy el que ayer despreció alborozado. No soy el ridículo fantoche lleno de vino hasta reventar», decimos. «No soy el que miente», casi gritamos. «No soy el que fornica, el que escupe sobre el suelo, el depauperado.»

Y luego, cuando hemos logrado hacer un buen hueco entre la basura, lo rellenamos con autocompasión: «Tengo mala suerte», nos empeñamos en afirmar. «Estas cosas sólo me pasan a mí, por imbécil; por preocuparme siempre de los otros, maldita sea.» Un espléndido proceso moral del que sale el hombre ufano y fútil. Listo para la oración y para los gusanos.

Los siguientes días se suceden deshilvanadamente, y entre los acontecimientos de la realidad se deslizan, ilógicos y angustiosos, los de los sueños. Frente a la ventana observas la lluvia golpeando contra el suelo del patio al que da tu nueva habitación. Por los jardines paseas seguida de cerca por Hans. Tumbada en la cama hojeas un libro, cuando notas sin preocupación, casi con cierto placer, que los dientes se te desprenden en el interior de la boca, y luego los dejas caer sobre la palma de la mano para contemplarlos. Parado frente a ti Hans observa tu cuerpo desnudo mientras tú te ríes de su asombro y le juras que nunca lo tendrá. Sentada ante la mesa juegas a quemar con la punta del cigarrillo una de las incontables copias que has hecho de la carta que querías enviarle a Fernando Sánchez Galiano. Pendiente de un árbol, el cuerpo de Ulloa-Sagasta se balancea bajo la lluvia envuelto en una sotana, brillando entre los espasmos eléctricos del cielo.

En el curso de esos hechos teñidos por igual de cotidianidad y extravagancia se sitúa, borroso y aislado, el momento en que, sin saber cómo, has accedido al pasillo de la celda de Stefanini-Conte, en el interior del tercer pabellón. Entre tus manos temblorosas bailan las llaves al son de su propio tintineo. En un susurro llamas al paciente, al policía. Su sombra se acerca hasta la puerta e inquieta te responde en un susurro. Eliges una llave y después otra y otra hasta que al fin el mecanismo interno lanza un chasquido y la puerta comienza a abrirse. Desde la celda de al lado te llega de pronto la voz del propio Stefanini-Conte, claramente. Te llama porque no sabe qué ocurre, y tienes el tiempo justo para preguntarte qué puerta habrás abierto, antes de que sobre ti se abalance el loco Henry Watermouth y agarre con fuerza tu melena haciéndote caer de rodillas ante él. Mientras el policía grita impotente, desde dentro de su celda cerrada, para avisar a los guardias, sientes los dedos, las uñas de Henry desgarrando la piel tersa de tu cuello blanco.

Al emerger de las pesadillas siempre encuentras a Von Hagen rondando por el cuarto. Esa realidad inevitable evidencia lo que ya Stefanini-Conte previó: el psiquiatra está interfiriendo en tu vida a través de su terapia, modificando tus sensaciones y tu percepción del tiempo. Sin duda, piensas, con el fin de hacerte temer a Stefanini-Conte, de encauzar tu comportamiento quién sabe hacia dónde, de lograr que olvides lo que sabes.

Para resultar menos vulnerable, hace tiempo que desconfías de tu memoria. Al principio utilizabas una simple afirmación verbal del presente: «Es evidente que estoy viviendo esto», repetías en distintos momentos, a lo largo del día. Esa frase, además de ayudarte con su valor mnemotécnico, logró durante algún tiempo ser un distintivo de los sucesos en la retrospección, pues sólo aceptabas aquéllos en los que te reconocías pronunciándola. Pero estás segura de que después Von Hagen halló esa resistencia, porque, como tu vida, tus ensueños se han ido saturando de la frase, ya inútil: «Es evidente que estoy viviendo esto», pronuncias a veces con los brazos extendidos, volando sobre un terreno reconocible de tu infancia; o postrada en una cama, en el regazo de una mujer cambiante cuyo rostro abarca el rostro de varias de las mujeres que en tu vida te han rodeado; o, inversamente, dando de mamar a un niño con demasiado pelo sobre el cuero cabelludo, cuya dentadura perfectamente delineada asoma tras su sonrisa cuando abandona tu seno.

De todas las esporádicas apariciones de Von Hagen, una se distingue entre las demás por su claridad. Sentado como siempre en el borde de la cama, de espaldas a ti, el viejo está con la cabeza entre las manos. Tú acabas de abandonar alguna de sus elaboradas pesadillas. Intentas descansar sin llegar a dormirte, borrar de tu memoria, una a una, las imágenes del sueño.

—Dime qué te hace defender así tu destino, si aún no lo conoces —el viejo, por primera vez, te tutea; no espera una respuesta, sólo está, como tú, agotado tras la larga, infructuosa sesión—. En medicina hay un tiempo para la predicción y otro para la cura. Un médico es un ser impotente cuando predice y no alcanza a curar. Impotente y dañino. Lo sé. Viví la muerte de mi mujer esperando; sin poder hacer otra cosa que esconderle apenas su dolor. En ese estado de las cosas sería mejor la ignorancia. Saber cuándo va a irrumpir la muerte y no poder aplazar la cita: a eso estamos condenados. Siempre, puesto que el final es inevitable. Y a veces dan ganas de abandonar. Pero sé que ahora me encuentro en el camino. Aunque ciertos hechos se oculten tozudamente en tu entendimiento, he leído. Y no quiero ser de nuevo el espectador. Déjame ver en esas horas de tu futuro. Déjame ver quién más hay, además de ti, de mí y de Stefanini. Déjame ver dónde, cuándo sucede la escena. Cuál es mi papel en todo esto.

Días después, tumbada en esa misma cama, retomas la cotidiana labor de averiguar si te hallas dentro de la realidad o soñando. Para saberlo has planeado un gesto brusco y voluntario: alzarte repentinamente y sentir el movimiento de la sangre en el cerebro. Quizá por cansancio consideras que anular el acto tramado es ya un ejercicio inesperado de voluntad, que incluso la evidencia de que nada, absolutamente nada, está ocurriendo indica ya que te hallas en la vigilia, puesto que tus sueños llegan siempre plagados del tumulto que te provoca en la mente este perenne estado de inquietud.

Tales cavilaciones, que mantienen tu cuerpo inmóvil, se interrumpen cuando notas que alguien, sentado en el borde de la cama, se ha movido. «He aquí de nuevo a Von Hagen», piensas. Pero al volverse el rostro de esa sombra hacia ti compruebas que no es otro que el profesor Fernando Sánchez Galiano. Su gesto de preocupación rompe tu estatismo. Sorprendido por tu repentina incorporación, Sánchez Galiano lleva las manos a tus hombros y te sacude dulcemente.

—Despacio, Beatriz —te dice—. No te levantes.

Observas ante ti a la única persona que puede ayudarte. «Es evidente que estoy viviendo esto.» Nunca antes has planteado ese pensamiento con tan poca convicción. Pese a la preocupación del profesor, te levantas y entras en el lavabo para refrescarte. Nada tan innegable como el agua fría escurriendo por la cara. Al volver a la habitación el fantasma de Sánchez Galiano es un hombre real, de espaldas levemente encorvadas por la edad, de rostro animado, sonriente. Con su habitual sinceridad te confiesa que está muy preocupado. Ha hablado con Von Hagen, quien le ha informado de tu estado.

—Dice que no quieres ayuda, que quizá yo pueda dártela. Por supuesto, te la ofrezco, Beatriz.

Al menos Von Hagen no mentía cuando aseguraba que había intentado ponerse en contacto con él. Sánchez

Galiano regresa ahora de unas largas vacaciones. Ha pasado por aquí con el fin de visitaros, de conocer cómo progresaba su alumna preferida. Dice que Emile ha actuado correctamente: ya le ha dado la carta que escribiste. Para contrarrestar el punto de vista del director buscas la tranquilidad, le pides al viejo profesor que se siente. Lentamente comienzas el relato de tu estancia en esta clínica.

Al acabarlo escudriñas el rostro de Sánchez Galiano. El hombre permanece impasible mirando a un punto indefinido de la pared que hay detrás de ti. Ambas historias, dice, la tuya y la de Von Hagen, son difíciles de aceptar. Y lo cierto es que te ha encontrado transformada, alterada. El propio Von Hagen ha cambiado sorprendentemente, aunque ya estaba al corriente de algunas de sus disparatadas conclusiones científicas a través de la correspondencia que mantiene con él. Sin embargo, lo principal de su diagnóstico no parece ningún disparate. Según él, has entrado en una regresión infantil, debida probablemente a la frustración que provocó hace años la visión del cadáver apuñalado de tu madre. Cuando oyes en boca de Sánchez Galiano esa realidad innegable que siempre has escondido, te sumes aún más en la desesperación, pues Von Hagen aprovecha todos los elementos que puede de la verdad para elaborar sus mentiras. Von Hagen, continúa el profesor, afirma que pretendes abandonar tu voluntad, retroceder hasta el momento en que eras una niña obediente; quizá, caer en el vacío.

—¿Cómo te has hecho esa herida? Él asegura que intentando sacar a Stefanini de su celda.

Te llevas la mano al cuello y palpas la abertura en la carne que en sueños te realizó Watermouth, aún fresca.

—Eso ha sido una pesadilla —respondes—. Es el método de Von Hagen: dice que busca el futuro, pero sólo tergiversa el presente. Es su forma particular de crear el pánico. Me conduce al interior de distintas ensoñaciones y luego deja huellas: un jirón de tela, una cicatriz, el sabor del vino. Todo es una maldita bufonada.

La mirada con que te obsequia Sánchez Galiano te hace comprender que así nunca conseguirás convencerlo de nada. De pronto recuerdas la tarjeta de identidad de Stefanini-Conte. Sigue guardada en el doble fondo del bolso. Al contemplarla, tu antiguo profesor inspira, desalentado. No es una prueba absoluta, sobre todo teniendo en cuenta que en la fotografía ajada no se distingue claramente un rostro; pero notas que la resistencia del anciano flaquea. Entonces aprovechas para suplicarle que te dé una oportunidad.

—Von Hagen tiene a todos de su parte; yo, sólo a usted. Únicamente le pido que avise a la policía, o que haga que nos trasladen a otro centro, a Stefanini..., quiero decir: a Conte y a mí.

Antes del final hay algo más. Unos momentos que, si algún día vuelves a ser, sin duda sólo te inspirarán desprecio. Villalta irrumpe de pronto en la habitación. No lo esperabas, pero ya no te asombra la falta de intimidad. Vas a empezar a insultarle, con tu soltura habitual. Pero Villalta no ha venido a escucharte pacientemente.

—Prepara tus cosas, algo, lo que quieras. Nos vamos ya.

Al principio no entiendes; tu primera reacción es de incredulidad. Villalta te apremia. «Antes de que me arrepienta», parecen decir sus ojos. Entonces tomas el bolso de mano e introduces dentro de él cualquier cosa.

Villalta ha acelerado bruscamente nada más arrancar. Tú vas encogida en el hueco de los asientos traseros, con un abrigo sobre la cabeza. Imaginas el coche detenido frente a la garita del guardia, la mueca desatenta con que Villalta, crees, suele saludarlo. Cuando sientes que el coche se lanza por la carretera de Cadaqués te alzas al fin. Lo primero que te provoca pavor es la hilera de árboles sacudiéndose borrosa y fugaz tras la ventanilla. Pero no dices ni una sola palabra, hasta que Villalta toma una curva estrecha sin reducir: el automóvil invade la otra dirección de la calzada y sólo a duras penas vuelve a su carril.

—Más despacio, por favor.

—No puedo —Villalta te ha mirado un instante por el espejo retrovisor—. El tren sale dentro de unos minutos. Y pronto comprobarán que no estamos.

El coche se ha detenido bruscamente en la puerta de la estación. Villalta ya ha bajado y ahora espera a que salgas, con la mano en el manillar de la puerta. Se inclina, para ver por qué no te mueves. Comprueba que estás temblando. Te ofrece la mano. La suya suda un poco, la tuya está helada.

Mientras Villalta compra el billete tú te quedas ahí, quieta, muy cerca de él. «Quiere que lo abrace», piensas, «pero no lo haré, porque un solo gesto de cariño es la derrota, después de toda la vida». Fuera, el tren parece estar a punto de salir. Villalta te entrega el billete. Saca de su cartera algún dinero para dártelo también. Tomas todo mecánicamente, lo sigues hasta el anden. Villalta se da la vuelta y sonríe, con su cinismo inevitable.

—Adiós, Beatriz. Volveremos a vernos; algún día.

—¿Por qué lo haces?

—Bueno. No me gustaría que volvieras a aparecer por casa, de pronto.

—No puedo. Me estoy mareando.

—No me digas que también tienes agorafobia. Eres una caja de sorpresas.

Mientras el tren arranca, Villalta da un paseo nervioso por el anden. Estás llorando porque tenías que haberte ido. Incluso, si fueras capaz de pensar, quizá todavía podrías apresurarte y subir a uno de los vagones en movimiento. Pero ¿hacia dónde? Villalta piensa en otro tiempo, en otro tren, en otras palabras. Sobre todo, Beatriz, por si alguna vez puedes asimilarlo, te juro que él no sabía que ibas a quedarte.

Habéis regresado deshabitados, despacio, por la carretera muda. El guarda abre la puerta, y la boca, enormemente, al comprobar que vas tú en el asiento delantero. Anochece. Al pie de la escalinata del pabellón segundo Von Hagen espera con gesto atónito.

—Se acabó el paseo, jefe —dice Villalta, engreído, mirándolo apenas, cuando pasáis a su lado, como si se pudiera mentir en una situación así—. Dejo a la chica y me voy a casa.

III

¿Cuándo fue? ¿En qué momento se trazó en tu mente una de las versiones de la escena final? Von Hagen, lo sabes bien, habrá intentado con toda seguridad ese movimiento desesperado para paralizarte al fin, consciente de que te escapabas del tratamiento, llevado sin saberlo por cierta morbosa tendencia a las escenas de terror.

Su método para la creación de secuencias hipnóticas prescinde caprichosamente de la linealidad cronológica, basada, según él, en una concepción conductista de la vida. Así que el estado al que arrastra a sus pacientes no es gradual; culmina en el centro y no en el extremo final: no desemboca, como hacen los cuentos de hadas o las novelas rusas; carece de moraleja, de moralidad.

Imagina el sabor de la muerte. Los muertos tienen arena en la boca. Y luego desciende, sé absorbida por tu propio cuerpo: poséelo; abárcalo.

En su celda, con las manos rodeándote el cuello y

los labios abiertos por el placer, Stefanini-Conte procede a estrangularte. Es una imagen plana e inmóvil, el sello de la muerte estampado en tu frente como un beso, mientras sientes en la entrepierna el líquido caliente de la orina fluyendo despacio en una metáfora del alma. Mana, empapa los pantalones, pero nunca se refresca como debería al abandonar tus entrañas.

Y, solapada por esta imagen, hay otra, como dos fotografías impresionadas en un mismo tramo del negativo. Es el momento en que entras en la celda; una acción que se repite mecánicamente: abres la puerta y avanzas hacia los brazos de tu asesino; abres la puerta y avanzas hacia los brazos de tu asesino.

Pero Von Hagen, piensas reconfortada, traza este sueño en vano. Porque ya estás convencida de su impostura. Al despertar, sientes con toda claridad que al fin eres ingobernable.

Nada hay tan acogedor como la vuelta a la realidad. Aunque sea un peldaño más del descenso el que pisemos, si por acaso resulta el peldaño de la realidad: nada hay reconfortante sino su suelo tenaz. Tú bajas ese escalón decidida, y al asentarte en él conoces el aliento de quienes ascienden a las despejadas cimas. En ese clima no te sorprende la recuperación de la figura de Sánchez Galiano, que llama a tu puerta antes de introducir la llave para abrirla; que tímidamente espera a que asientas con condescendencia, antes de pasar; que entra en tu habitación como si verdaderamente fuera tuya, despojándose de un imaginario sombrero, atento a tu hospitalidad más que a su compostura. Entrañable como una mosca atrapada por la tela de araña.

—No he podido venir antes. Espero que sigas bien.

Entonces aquel hombre se sienta cansado en el borde de la cama y se pasa una mano por la frente. Revela sin vergüenza que lo que ha visto le supera. Von Hagen se comporta, por fin también para otros ojos, como un verdadero maníaco. Y él desearía seguir de vacaciones. Con algunos balbuceos inadecuados a alguien de su talla, recuerda el balneario que hace algunos días abandonó. Respira hondo como si acabara de sumergirse en las aguas térmicas de una galería subterránea. No se ha atrevido a avisar a la policía porque tiene a Von Hagen encima. Se siente responsable de tu soledad y está harto de la suya. Quiere dormir, pero lo atormenta una pesadilla a la que tu imagen, encarnando la fantasía de un súcubo, no es ajena.

Cada vez que sientes cerca al profesor te inunda un remanso de paz. «Él es», te dices, «la prueba de que soy, más allá de la clínica, antes de que comenzara el caos». Mientras él yerra atolondrado por el cuarto, ensayas los ruegos que nunca le harás: «Dígame que estuve en la universidad; que asistía a clase cada día, con una carpeta entre las manos heladas. Dígame que me espiaba, tras de mí, por los pasillos, enfermo como todos de lujuria. Dígame que una tarde, en su despacho, me acerqué a usted; que estuvo a punto de besarme, pero lo detuvo la vejez, la vergüenza, o el cansancio, qué sé yo. Dígame todo eso, aunque no sea más que un montón de ridículas mentiras; historias inocentes para distraer a las niñas, para conseguir que sigan jugando en el jardín, como si nada fuera a ocurrir.»

—He visto a Stefanini —el profesor duda de su frase—. O a Conte, como se llame. Von Hagen no quería, pero al fin aceptó. Es un hombre extraño. Muy agradable.

—¿Qué le dijo? —no puedes contener casi un grito.

—Hablamos de varias cosas —responde Sánchez Galiano, como si la conversación hubiera transcurrido hace tiempo y estuviera ya casi olvidada—. No recuerdo bien. Tiene una mirada apacible..., los ojos... ¿negros? Dios mío, estoy agotado. Hablamos de ti, Beatriz; creo.

Tienes a tu lado a un hombre acabado. Pero eso es todo lo que necesitas. Una cabeza venerable que apoye los caprichos de la estúpida niña, con el repulsivo pacto tácito que se establece siempre entre un anciano y una jovencita. La belleza en bruto, ofensiva, y la experiencia desencantada. Un cóctel indigesto de dos extremos humanos, de dos cerebros saturados por la avaricia y el narcisismo a manos llenas.

Esta vez se impone tu inconsciente forma de afrontar las cosas. En vano ese hombre viejo intenta olvidarse de su poca vitalidad. Como una víbora escondida en la hierba le has mordido el talón, como un gorrión tembloroso que albergara una víbora en las tripas. Y ya que siempre nos sobra vanidad hasta caernos reventados de autocomplacencia, a tu lado, imbécil, él se convierte en un niño con ganas de aventura. Y sonríe cuando le propones una cita en el jardín, esa misma madrugada.

—Pero no podrás salir de aquí —dice el viejo—. Hans está siempre en la puerta. Y cuando descansa hay otro.

—Lo único que tiene que hacer es darle esta nota a Villalta. Él alejará a los enfermeros.

Trazas sobre un papel unas líneas convocando al doctor: «Ven esta noche. Despiértame.» Eso basta.

Ahora estás de nuevo sola, pero empezando a olfatear el aroma de la victoria. Un golpe, seguido de otros, nerviosos, contra la cristalera de la terraza, te arranca de tu abstracción. Fuera, algo encogida por el fresco del anochecer, se adivina la figura singular de Blanch, el traidor. Abres y con él entra una ráfaga de tramontana empapada de la sal del mar. Antes de hablar, Blanch te entrega un frasco de triazolam y una caja de risperidona.

—Es todo lo que he conseguido. A Villalta se le escapó que andabas buscando. Pronto tendrás más, si quieres. Me resulta tan agradable robar en la farmacia...

Intentas detener el temblor del pulso al recoger el regalo; sin decir una palabra, te retiras al lavabo para ingerir un puñado de cápsulas, despacio, alternándolas, disfrutando de los sucesivos bultos dibujados en la garganta del espejo mientras tragas.

Cuando sales Blanch está todavía ahí, de pie.

—No he venido a pedirte disculpas —dice—. No estoy arrepentido. Confío en Emile; no suele equivocarse. Y le debo demasiado.

—Bien, Blanch. Déjame en paz.

El pequeño Blanch abandona algo envejecido la habitación. Los amigos son así de acaramelados: nos divierten y no intentan obtener nada a cambio; los herimos, y no se lamentan.

Después viene una vivencia habitual, tantas veces causante de los procesos toxicológicos agudos: te duermes y te despiertas presa de una amnesia hipnótica provocada por los propios medicamentos. Tu ansiedad se encarga de lanzar el mensaje: no has tomado las pastillas que te ha ofrecido Blanch. Las necesitas. Y vuelves a ingerir la misma dosis tóxica.

Villalta llega más tarde, cuando ya te ha arrastrado una pesadilla, como habías previsto. Se estremece al arrancar la sábana bajo la cual se retuerce tu cuerpo desnudo. Con los brazos lo atraes hacia tu amor miserable. Ningún otro habría podido resistirse. El precio es pequeño: todo el placer a cambio de rozar tan sólo la muerte. Cuando más perdido está él en el deleite que le cedes, con un movimiento no carente de seducción has palpado bajo la almohada hasta encontrar las tijeras. Las hundes en su pecho una sola vez, con fuerza. Después grabas con dificultad las mayúsculas de tu nombre en su torso: Beatriz. Cuando abandonas su cuerpo moribundo sobre la cama, Villalta todavía es capaz de pensar. Con un balbuceo te pide que lo mates, aunque no consigue hacerse entender. Una lamia es así. Se apodera de todo. Hasta que se aburre, y entonces sólo desprecia. Y se va.

IV

Descansa aunque sólo sea un momento, Beatriz. Trasládate despacio a la oscura madrugada en la que una voz apagada te informó de la muerte de tu madre. Vuelve al llanto que te ocupó durante aquellas horas, a la mano amiga que resbalaba temblorosa e impotente por tu nuca, a la tierra esparciéndose blanda sobre la madera del ataúd; a las tristes, inasibles huellas de tu madre en todos los sueños amables que aún conservas. Regresa allí aunque sólo sea un instante, para descansar.

Puedes acariciar la muñeca que tienes en los brazos, si eso te restituye la paz en la que quizá sería mejor abandonarte. Porque no hay ni un instante para la paz en el mundo que tan súbitamente has abandonado.

Es suficiente. Ahora estás en el jardín, oculta tras las ramas de un arbusto, contemplando cómo Sánchez Galiano, iluminado por la luz de la luna llena, se acerca hasta uno de los guardianes del pabellón tercero. Estaba esperándote en el lugar convenido. Al verte, el profesor se ha preocupado de tu aspecto: la palidez de tu rostro y de nuevo el desmesurado tamaño de las pupilas. Pero tú misma, llevada por la dulce borrachera a que te conduce la química de los fármacos, lo has tranquilizado y animado para que no posterguéis los planes. Ahora, histriónico como nunca, el profesor acepta un cigarrillo del vigilante: lleva su bata blanca como si fuera la toga recién estrenada por un actor para su primera representación teatral. Cuando golpeas al guardia con un tronco en la cabeza, justo al notar el ruido seco y el cuerpo cayendo inconsciente sobre la tierra, descubres que la vida pende de un hilo magníficamente quebradizo. Golpear da para mucho. Da para relajarse a gusto y dormir a pierna suelta, abrirle la cabeza a alguien por la espalda. Más aún cuando se está disparando por dentro la euforia artificial y embaucadora de las drogas.

Excitados, le quitáis la chaqueta a ese cuerpo abatido, la gorra, el arma. Y Sánchez Galiano se viste orgulloso y apresurado, como si tuviera que volver a salir inmediatamente por bastidores. En sus manos una pistola es un inútil, desproporcionado adorno, así que la tomas tú, conteniendo una carcajada.

Probablemente el guardia que maneja los controles de acceso al pabellón tercero ni siquiera ha mirado a la cámara, al recibir la llamada. Si no, haber visto a Sánchez Galiano con la chaqueta del uniforme ceñida en torno a la barriga le hubiera causado risa; pero jamás habría abierto. De eso mismo se lamenta él, encañonado por ti, temblando mientras te entrega las llaves. Sólo al arrastrar costosamente los pies por los pasillos, dejando atrás puertas blindadas a las que se asoman torvos los rostros de los alienados, vuelves a sentir la presión de la tenaz terapia de Von Hagen. En vano intentas introducir la llave en la cerradura de la celda de Conte. Presa del pánico y de los espasmos musculares provocados por la asociación tóxica de los neurolépticos a las benzodiazepinas, saltas hacia atrás. Pero Sánchez Galiano está ya demasiado rejuvenecido para abandonar. Te quita las llaves y abre él. Dentro, Stefanini-Conte se incorpora despacio. Ni siquiera sonríe. Estaba esperando a que aparecierais, sin más. Desde la entrada llega cierto revuelo: la voz de Von Hagen y pasos decididos acercándose.

—Rápido —dice entonces el policía a Sánchez Galiano, puesto que tú estás paralizada—. Ayúdeme a quitarme esto.

De pronto las manos del viejo, excitadas por la aventura, son algo más ágiles.

—Dame la pistola —añade Conte, dirigiéndose a ti, cuando está libre.

Pero tú no se la has dado. Simplemente te la ha arrebatado sin contemplaciones, sin sorprenderse por tu repentino gesto de pánico. Y en este momento asoma la figura de Von Hagen en el umbral. Al ver a Conte con el arma, libre, se detiene. Y en su rostro, tenso hace un instante, se dibuja la paz. A su lado, el guardia, demasiado joven, lo mira todo con ojos de ir a morirse.

—Ya has matado a Beatriz —afirma Von Hagen mirando de frente a Stefanini-Conte, que escucha erguido y sonriente.

—Mientras aplicabas tu ciencia, Von Hagen, yo resistía. Pretendías construir un laberinto para mí, pero eres tú el que se ha perdido.

—¿Y cuál es la razón? —Von Hagen parece entregado, casi contento de que todo haya concluido— ¿Por qué acabaste con Patricia, con Francisco Ulloa?

—Hay tiempo, incluso para explicar eso —responde Stefanini-Conte sonriendo, pero sin perder la tensión con la que aferra el arma—. Un día, mucho antes de que tú lo descubrieras, supe que el futuro era palpable en las mentes de quienes me rodeaban. Aunque siempre me mortificaba no poder leer el mío. Casualmente encontré el momento de mi muerte en la mente de Beatriz, hace años, en una de mis actuaciones. Ella era casi una niña. Desde entonces su voluntad ha sido también algo mía, pero tenía que llegar a ponerla conscientemente de mi parte. Tu método me dio la clave, y desde ese momento trabajé para que los hechos se precipitaran. Cuando viniste a mí supe que tú serías, además, el causante de mi muerte. Había visto perfectamente tu rostro en la mente de Beatriz, como lo veo ahora.

Von Hagen desearía fumarse un cigarrillo. «Un fracaso del que deberemos aprender», nos habría dicho pronto a sus compañeros, si le hubiera quedado aún algún tiempo. Se contenta con mirarte, paralizada tú también. Quién sabe lo que pasará por la mente de un viejo enamoradizo, con ganas de que le corten la cabeza, mientras contempla la hermosa figura de su Judit preferida.

—He llegado aquí, Von Hagen —interrumpe sus ensoñaciones Stefanini—, tal y como pedía el destino. Pero yo tengo la pistola y no moriré. Tenías razón, para tu pesar, Von Hagen: el destino puede cambiar.

El doctor deja caer los brazos. Sonríe, seducido por la ironía de la situación.

—Yo también —dice— he leído, sin saberlo, mi propio asesinato en tu mente. Y tratando de evitarlo sólo he conseguido forzarlo. Ahora, al fin, es claro. Inexorable.

En ese momento Sánchez Galiano, incapaz de comprender una sola palabra, adelanta un paso hacia Von Hagen. Sigue siendo el héroe de pacotilla, el actor acabado intentando representar el papel de galán que nunca le dieron.

—Emile: estás enfermo. Necesitas ayuda. Pronto saldrás de esto.

Tan embobado está el profesor con su frase que apenas si nota el disparo que a sus espaldas descarga «Il Grande Stefanini» sobre una de sus piernas. Mientras el cuerpo venerable del anciano se desploma como por arte de birlibirloque, Von Hagen tiene tiempo de sobra para precipitarse sobre su paciente, pero no lo hace. Todavía aferrada al borde de la realidad, ves cómo el doctor recibe el último disparo del mago, del artista que escruta las mentes, sin inmutarse; absorto en el contoneo de la muerte.

En el barullo probablemente no te ha preocupado la huida despavorida del guardia joven. Ahora sólo te interesa tu propia muerte, bonita, niña mía. Resulta desconcertante, saber que se va a morir. Es uno de esos momentos gloriosos en el que la inteligencia, sumida desde siempre, por el error de una demiurgia aberrante, en el organismo caduco de un mamífero, se entrega sin ambages al único acto consecuente del que es capaz: el terror. Así que traga saliva, porque un cuerpo como el tuyo no se pierde todos los días. Un cuerpo tan elogiable, dado a los perros, como si tal cosa.

Concentrada como nunca en la frágil sensación de estar todavía viva, contemplas el cuerpo de Stefanini alzado ante el cadáver de Von Hagen. Despacio se acerca hacia ti, sorteando el bulto en el suelo de Sánchez Galiano y sonriendo a medias. «Ya he vivido esto», piensas; «otra vez, hace años, o quizá hace tan sólo un instante». Es entonces cuando el farandulero Stefanini pronuncia la seductora frase, las palabras adultas que todas las muchachas como tú sueñan oír de labios de un asesino en sus noches solitarias de ambiguos sentimientos, a caballo entre el pánico y el placer.

—Voy a amarte hasta la sangre, Beatriz, porque el amor despedaza el cuerpo y lo deja incapaz para otras cosas.

Antes de que te ponga las manos encima aún tienes tiempo para intentar reconstruir la realidad. Pero no logras comprender lo que ahora sabemos, que la documentación de Stefanini era falsa, arrebatada junto a la pistola a un policía italiano, de nombre Gianni Conte, hace muchos años, Beatriz, y probablemente enterrada entonces, cuando el paciente tramaba los detalles de su minucioso plan. ¿Por qué te aferrabas a aquellos dos objetos como si fueran lo único real del mundo? Son ellos los que todavía te impiden pensar que Von Hagen, el médico, el loco, tenía razón.

Estas reflexiones ocupan demasiado tiempo, estorban la misión que debería embargarte. Dicen que al morir, un hombre, o cualquiera, hasta una rata, se dedica a recrearse en su pasado, como si no tuviera bastante ya con haberlo vivido. Pero en el tuyo hay demasiados cabos sueltos, Beatriz; demasiados sueños cruzándose con lo cierto. De pronto, un brote de luz intenta abrirse paso por tus entendederas. «Estoy bajo la terapia de Von Hagen, maestro de ironías, que ha incorporado su propio cadáver a esta pesadilla», piensas vana, barrocamente, antes de sumirte por fin en el delirio que la realidad y los fármacos forjaban para ti desde hace tiempo. De algún modo tienes que aferrarte a lo que te queda de cordura.

A «Il Grande Stefanini», que ha empezado a desabrochar tu blusa blanca, le molesta el torbellino en el interior de tu cabeza. Prefiere morder la melena superficial y roja.

—No importa —dice— si soy el asesino o el policía. No importa si eres la doctora o la paciente. Te he robado todo, desde la noche en que nos vimos, Beatriz: el pasado y la vida. Cada gesto que hiciste fue meditado y perfeccionado antes por mí.

Tiene la sonrisa que utilizaba en sus espectáculos dibujada permanentemente en el rostro. *Niente quì, niente là. Allora, bellíssima donna: guardami negli occi. Mírame a los ojos.* Sus manos, que se ciñen, húmedas por el sudor, en torno a tu cuello blanco, se crispan de pronto y permanecen así durante más tiempo del que yo tardo en reconstruir para ti esta historia. Mucho más. La orina recorre lábil las perneras de tu pantalón, exactamente igual que en la terapia que Von Hagen trazó en vano.

Es entonces cuando te abandonas en este estupor, cuando dejas de comprender, de concebir los hechos que han conformado tu vida como una sucesión ordenada de acontecimientos que te traen inevitablemente al momento en que Stefanini te está estrangulando. En algún lugar las entrañas de la tierra se abren, negras y en silencio, para formar la cueva en la que reposa Hipnos, el hermano gemelo de Tánatos. Allí desciendes tú, Beatriz, para acostarte junto al dios lánguido del sueño, en su lecho de plumas, bajo el hechizo denso de la adormidera.

No lo oyes, ya; tu consciencia no lo registra. Pero suena un disparo repentino y cede la presión. Con ansiedad tu organismo busca el aire regalado mientras te desplomas sobre el cuerpo sin vida de «Il Grande Stefanini». A tu lado se detiene la silueta de Blanch, el cleptómano, el afeminado, el hombre que ni Stefanini ni Von Hagen supieron descubrir en sus profecías, quizá porque nadie, ni siquiera tú, lo llegaría a ver. Blanch todavía tiene el brazo tendido y, al cabo de él, la pistola que algún día extrajo del bolso escondido por ti en el fondo acogedor de un armario; la pistola que brilla ahora como un juguete de feria en manos de un niño. Despacio, con un movimiento inusualmente artificial, Alfons Blanch aproxima más aún su rostro al tuyo, hasta besarte con suavidad, arrugando su cuello carnoso, como un sapo ante una aterrorizada, bella princesa.

DELUDIO

«...Como un sapo ante una aterrorizada, bella princesa.» *Villalta se inclinó sobre el rostro de la muchacha, nada más pronunciar esas palabras finales, y la besó suavemente. «Por desgracia», pensó al retirarse, «la Bella Durmiente no siempre se alza tras el beso. Y está fría como un demonio. Quién lo diría».*

Sentado en la amplia estancia del pabellón tercero, dentro del recinto de la clínica de reposo del doctor Von Hagen, Villalta paladeó con aire de catador el sabor del beso, que concluía aquella larga sesión, antes de levantarse y estirar los miembros atenazados. Tenía, ya lo hemos dicho, entumecido el hombro, el brazo en cabestrillo. Al fondo sonreía un poco, con su gesto perdido de siempre, la paciente Beatriz Vargas Duval.

—Bien, muñeca —dijo Villalta—. Ahora, cuando cuente hasta cinco, despertarás. Pero antes aférrate a mis palabras. Recuerda que son lo único que debes retener de tu vida, y que cuando estés despierta tienes que apropiarte de su sentido, inundar con ellas tu pasado. Porque tú no tienes otra cosa a que aferrarte.

En labios de Villalta ascendieron los números del uno al cinco. Cuando alcanzó esa cifra la joven recuperó el movimiento, apretó contra su pecho la muñeca de trapo que sostenía en sus brazos y miró a ambos lados, pero sin abandonar su expresión vacía. En ese instante se abrió la puerta de la sala y entró el enfermero Hans seguido de Friederike Bergengruen. Hans se acercó a Beatriz y la tomó de los hombros. La joven se estremeció en su sillón, antes de mirar atemorizada al enfermero, al hombre y a la mujer desconocidos que se hallaban ante ella; pero al fin se levantó obediente y abandonó la sala muda, en pos de Hans.

—Es absurdo —dijo Friederike una vez que quedó a solas con Villalta—, intentar reconstruir cada paso. Absurdo y agotador. Nunca saldrá de su estado. Y en realidad no se sabe nada del síndrome neuroléptico maligno. ¿Has notado alguna mejoría?

Villalta se acercó a la ventana y encendió un cigarrillo manejando torpemente su brazo izquierdo, antes de responder. Fuera todavía había algo de luz, la luz del final del otoño reflejándose entre las hojas amarillas que llenaban el suelo. Fuera, a lo lejos, el mar seguía batiendo su cuerpo gris perla contra la arena, como si los días y los meses y los años consistieran nada más en ese penoso ir y venir inalterable que engullía todo. Fuera, enfilando hacia un terraplén recogido al abrigo de tres sauces dorados por el otoño, caminaba cabizbajo Blanch, con las manos en los bolsillos y la visera de una gorra americana de colores llamativos abrigándole la nuca.

—No sé —dijo al fin Villalta.

Los dos permanecieron callados hasta que abandonaron el pabellón tercero. Hacía demasiado frío en el jardín para pasear a esas horas, pero a Villalta el viento le dio un no sé qué juvenil. Se volvió hacia Friederike, como si de verdad fuera un chiquillo, con ganas de hacer cosas.

—Te invito a una copa, Frie, en el pueblo. Por los viejos tiempos.

—Vete a la mierda, Villalta.

Y sin embargo ninguno de los dos hizo amago de separarse. Empezaron a andar hacia el terraplén de los sauces, con la nariz helada.

—A veces pienso que es posible —dijo Villalta—. Que repitiendo la historia tantas veces su inconsciente acabará aceptándola tal y como fue.

—¿Tal y como fue? ¿Y cómo fue verdaderamente? Por Dios, Villalta. Tú sólo sabes algunas cosas. Retazos. Lo demás te lo has inventado. No hay más que oírte: en tu historia ella odia a los hombres; lo tergiversas todo con tus prejuicios, porque no la entendías. Hay demasiadas contradicciones, créeme.

—Y qué más da cómo fuera. Lo que importa es llegar a donde estamos, por cualquier camino. En cuanto a la contradicción, es el alimento de la vida. Sólo los que se olvidan de las cosas andan por ahí sin contradicciones.

Villalta y la enfermera llegaron finalmente al terraplén y se detuvieron ante la tumba de Von Hagen, flanqueada por la del paciente Alessandro, «Il Grande Stefanini», el falso Gianni Conte. Al verlos aparecer se escabulló Blanch silencioso como un conejo. Villalta se detuvo a aspirar el maldito aire frío. Moqueaba levemente. Y no estaba nada convencido de sus últimas palabras.

—Nunca sabremos lo que ocurrió realmente —aseguró desconsolado, a punto de estornudar—. Ni muchas otras cosas.

—Resulta desconcertante. Tan oscuro como si aún no hubiera ocurrido —coreó Friederike.

—Mientras tanto, podemos inventar sucesos coherentes. En mi historia, Frie, yo soy un ser despreciable, tal y como ella me veía. Eso me duele. Sabes que intenté ayudarla.

—Eres un ser despreciable —rió Friederike—. Estás vivo de casualidad, y todavía hablas de ella como si hubiera sido una más de tus conquistas malogradas. No entiendo cómo dejaste que te hiciera... eso.

—Me hechizó. No podría explicarlo. Pero me desagrada terriblemente tener su nombre grabado en la piel. Ahora se me aparece en sueños, como era antes.

—Me vas a hacer llorar. Y hace un frío que pela.

—He imaginado otra versión, en la que Stefanini es un verdadero policía, y Von Hagen un tipo depravado que desea apoderarse del dinero de los pacientes de su clínica. La clínica no está aquí. Es un lúgubre manicomio en el centro de Madrid. Será una historia sin sentido; pero Beatriz permanece viva. Quiero decir: permanece. Una versión igual de inútil.

—Mucho más enternecedora, con su final feliz. Dime: en esa versión, ¿tiene también Beatriz el hígado destrozado?

Ambos miraron entonces la lápida mayor, la que

oprimía el cadáver de Von Hagen, junto a una pita erizada. DUCUNT VOLENTEM FATA, NOLENTEM TRAHUNT, *estaba allí escrito, por capricho del viejo, que había elegido el lugar de su tumba al comprar los terrenos de la clínica, vanidoso. Una sentencia. De Séneca, nada menos: «Conducen a quien los acata, los hados; a quien resiste, lo arrastran.»*

—Hoy es tu cumpleaños, ¿no? —preguntó Friederike, por dejar las cosas como estaban, dándose la vuelta y echando a andar, muerta de frío, hacia donde tenía el coche aparcado.

—Treinta y seis años. Uno más tras el final del camino de nuestra vida —dijo Villalta, como un pasmarote, ante la tumba del doctor Emile von Hagen—. Es como para ponerse a vomitar, de viejo.

ÍNDICE

COLECCIÓN NUEVA BIBLIOTECA

Títulos publicados:

1.-TRECE HISTORIAS BREVES
Varios autores

2.-PICATOSTES Y OTROS *TESTOS*
Borja Delclaux
I PREMIO «LENGUA DE TRAPO» DE NARRATIVA 1995

3.-MALOS TIEMPOS
Juan Madrid

4.-HIPNOS
Javier Azpeitia

5.-LA ASESINA ILUSTRADA
Enrique Vila-Matas

6.-DUBLÍN AL SUR Y OTROS RELATOS
Isidoro Blaisten

Este libro se acabó de imprimir
en el mes de febrero
de 1996 en Madrid.